Suhrkamp BasisBibliothek 8

Diese Ausgabe der »Suhrkamp BasisBibliothek – Arbeitstexte für Schule und Studium« bietet nicht nur Max Frischs Stück *Andorra*, seine »Anmerkungen zu *Andorra*«, die »Notizen von den Proben« sowie seine Prosaskizze »Der andorranische Jude«, sondern auch einen Kommentar, der alle für das Verständnis des Werks erforderlichen Informationen enthält: eine Zeittafel, die Entstehungs- und Textgeschichte, einen Überblick über die Aufführungs- und Rezeptionsgeschichte, eine Analyse der unterschiedlichen Deutungsansätze, Literaturhinweise sowie Wort- und Sacherläuterungen. Die Schreibweise des Kommentars entspricht den neuen Rechtschreibregeln.

Zu diesem Buch sind auch eine CD-ROM und ein Hörbuch im Cornelsen Verlag erschienen. Weitere Informationen erhalten Sie unter www.cornelsen.de.

Peter Michalzik, geboren 1963, ist Journalist und schreibt für die *Frankfurter Rundschau*.

Max Frisch
Andorra

Stück in zwölf Bildern

Mit einem Kommentar
von Peter Michalzik

Suhrkamp

Der vorliegende Text folgt der Ausgabe:
Max Frisch, Gesammelte Werke in zeitlicher Folge.
Jubiläumsausgabe in sieben Bänden 1931–1985.
Band IV 1957–1963.
Herausgegeben von Hans Mayer unter Mitwirkung von
Walter Schmitz, S. 461–571.
Frankfurt am Main: Suhrkamp Verlag 1976.

18. Auflage 2013

Erste Auflage 1999
Suhrkamp BasisBibliothek 8
Originalausgabe

Satz: pagina GmbH, Tübingen
Druck: CPI – Ebner & Spiegel, Ulm
Umschlaggestaltung: Regina Göllner und Hermann Michels
Printed in Germany
ISBN 978-3-518-18808-8

Inhalt

Andorra

Stück in zwölf Bildern
Dem ⌐Zürcher Schauspielhaus⌐
gewidmet in alter Freundschaft und Dankbarkeit

(1957/61)

Das ⌜Andorra⌝ dieses Stücks hat nichts zu tun mit dem wirklichen Kleinstaat dieses Namens, gemeint ist auch nicht ein andrer wirklicher Kleinstaat; Andorra ist der Name für ein Modell.

M. F.

Personen: ⌜Andri⌝ · ⌜Barblin⌝ · ⌜Der Lehrer⌝ · ⌜Die Mutter⌝
⌜Die Senora⌝ · ⌜Der Pater⌝ · ⌜Der Soldat⌝ · ⌜Der Wirt⌝
⌜Der Tischler⌝ · ⌜Der Doktor⌝ · ⌜Der Geselle⌝ · ⌜Der Jemand⌝
Stumm: ⌜Ein Idiot⌝ · ⌜Die Soldaten in schwarzer
Uniform⌝ · Der Judenschauer · Das andorranische Volk

Erstes Bild

Vor einem andorranischen Haus. ⌜*Barblin weißelt*⌝ *die schmale und hohe Mauer mit einem Pinsel an langem Stecken. Ein andorranischer Soldat, olivgrau, lehnt an der Mauer.*

BARBLIN Wenn du nicht die ganze Zeit auf meine Waden gaffst, dann kannst du ja sehn, was ich mache. Ich weißle. Weil morgen ⌜Sanktgeorgstag⌝ ist, falls du das vergessen hast. Ich weißle das Haus meines Vaters. Und was macht ihr Soldaten? Ihr lungert in allen Gassen herum, eure Daumen im Gurt, und schielt uns in die Bluse, wenn eine sich bückt.
Der Soldat lacht.
Ich bin verlobt.
SOLDAT Verlobt!
BARBLIN Lach nicht immer wie ein ⌜Michelin-Männchen⌝.
SOLDAT Hat er eine Hühnerbrust?
BARBLIN Wieso?
SOLDAT Daß du ihn nicht zeigen kannst.
BARBLIN Laß mich in Ruhe!
SOLDAT Oder Plattfüße?
BARBLIN Wieso soll er Plattfüße haben?
SOLDAT Jedenfalls tanzt er nicht mit dir.
Barblin weißelt.
Vielleicht ein Engel!
Der Soldat lacht.
Daß ich ihn noch nie gesehen hab.
BARBLIN Ich bin verlobt!
SOLDAT Von Ringlein seh ich aber nichts.
BARBLIN Ich bin verlobt,
Barblin taucht den Pinsel in den Eimer.
und überhaupt – dich mag ich nicht.

Im Vordergrund, rechts, steht ein Orchestrion.* Hier er-
scheinen – während Barblin weißelt – der Tischler, ein
behäbiger Mann, und hinter ihm Andri als Küchen-
junge.

TISCHLER Wo ist mein Stock? 5

ANDRI Hier, Herr Tischlermeister.

TISCHLER Eine Plage, immer diese Trinkgelder, kaum hat
man den Beutel* eingesteckt – *Andri gibt den Stock und*
bekommt ein Trinkgeld, das er ins Orchestrion wirft, so
daß Musik ertönt, während der Tischler vorn über die 10
Szene spaziert, wo Barblin, da der Tischler nicht aus-
zuweichen gedenkt, ihren Eimer wegnehmen muß.
Andri trocknet einen Teller, indem er sich zur Musik
bewegt, und verschwindet dann, die Musik mit ihm.

BARBLIN Jetzt stehst du noch immer da? 15

SOLDAT Ich hab Urlaub.

BARBLIN Was willst du noch wissen?

SOLDAT Wer dein Bräutigam sein soll.

Barblin weißelt.

Alle weißeln das Haus ihrer Väter, weil morgen Sankt- 20
georgstag ist, und der Kohlensack* rennt in allen Gassen
herum, weil morgen Sanktgeorgstag ist: Weißelt, ihr
Jungfrauen, weißelt das Haus eurer Väter, auf daß wir
ein weißes Andorra haben, ihr Jungfraun, ein schneeweißes Andorra! 25

BARBLIN Der Kohlensack – wer ist denn das wieder?

SOLDAT Bist du eine Jungfrau? *Der Soldat lacht.*

Also du magst mich nicht.

BARBLIN Nein.

SOLDAT Das hat schon manch eine gesagt, aber bekom- 30
men hab ich sie doch, wenn mir ihre Waden gefallen und
ihr ⌜Haar⌝.

Barblin streckt ihm die Zunge heraus.

Und ihre rote Zunge dazu!

Der Soldat nimmt sich eine Zigarette und blickt am 35
Haus hinauf.

Left margin notes:
Vorläufer der modernen Musikbox aus dem 19. Jh.

Geldbeutel

Pfarrer

10   Erstes Bild

Wo hast du deine Kammer?

Auftritt ein Pater, der ein Fahrrad schiebt.

PATER So gefällt es mir, Barblin, so gefällt es mir aber. Wir
werden ein weißes Andorra haben, ihr Jungfraun, ein
schneeweißes Andorra, wenn bloß kein Platzregen
kommt über Nacht. *Der Soldat lacht.*
Ist Vater nicht zu Haus?

SOLDAT Wenn bloß kein Platzregen kommt über Nacht!
Nämlich seine Kirche ist nicht so weiß, wie sie tut, das
hat sich herausgestellt, nämlich seine Kirche ist auch nur
aus Erde gemacht, und die Erde ist rot, und wenn ein
Platzregen kommt, das saut euch jedesmal die Tünche*   Farbe
herab, als hätte man eine Sau drauf geschlachtet, eure
schneeweiße Tünche von eurer schneeweißen Kirche.
Der Soldat streckt die Hand nach Regen aus.
Wenn bloß kein Platzregen kommt über Nacht!
Der Soldat lacht und verzieht sich.

PATER Was hat der hier zu suchen?

BARBLIN Ist's wahr, Hochwürden, was die Leut sagen? Sie
werden uns überfallen, die Schwarzen da drüben, weil
sie neidisch sind auf unsre weißen Häuser. Eines Mor-
gens, früh um vier, werden sie kommen mit tausend
schwarzen Panzern, die kreuz und quer durch unsre
Äcker rollen, und mit Fallschirmen wie graue Heuschrecken vom Himmel herab.

PATER Wer sagt das?

BARBLIN Peider, der Soldat.
Barblin taucht den Pinsel in den Eimer.
Vater ist nicht zu Haus.

PATER Ich hätt es mir denken können.
Pause
Warum trinkt er soviel in letzter Zeit? Und dann beschimpft er alle Welt. Er vergißt, wer er ist. Warum redet
er immer solches Zeug?

BARBLIN Ich weiß nicht, was Vater in der Pinte* redet.   Kneipe

PATER Er sieht Gespenster. Haben sich hierzuland nicht alle entrüstet über die Schwarzen da drüben, als sie es trieben wie beim ⌐Kindermord zu Bethlehem⌐, und Kleider gesammelt für die Flüchtlinge damals? Er sagt, wir sind nicht besser als die Schwarzen da drüben. Warum 5 sagt er das die ganze Zeit? Die Leute nehmen es ihm übel, das wundert mich nicht. Ein Lehrer sollte nicht so reden. Und warum glaubt er jedes Gerücht, das in die Pinte kommt?
Pause 10
Kein Mensch verfolgt euren Andri –
Barblin hält inne und horcht.
– noch hat man eurem Andri kein Haar gekrümmt.
Barblin weißelt weiter.
Ich sehe, du nimmst es genau, du bist kein Kind mehr, du 15 arbeitest wie ein erwachsenes Mädchen.
BARBLIN Ich bin ja neunzehn.
PATER Und noch nicht verlobt?
Barblin schweigt.
Ich hoffe, dieser Peider hat kein Glück bei dir. 20
BARBLIN Nein.
PATER Der hat schmutzige Augen.
Pause
Hat es dir Angst gemacht? Um wichtig zu tun. Warum sollen sie uns überfallen? ⌐Unsre Täler sind eng, unsre 25 Äcker sind steinig und steil⌐, unsre Oliven werden auch nicht saftiger als anderswo. Was sollen die wollen von uns? Wer unsern Roggen will, der muß ihn sich mit der Sichel holen und muß sich bücken Schritt vor Schritt. Andorra ist ein schönes Land, aber ein armes Land. Ein 30 friedliches Land, ein schwaches Land – ein frommes Land, so wir Gott fürchten, und das tun wir, mein Kind, nicht wahr?
Barblin weißelt.
Nicht wahr? 35

BARBLIN Und wenn sie trotzdem kommen?

Eine Vesperglocke*, kurz und monoton

PATER Wir sehen uns morgen, Barblin, sag deinem Vater, Sankt Georg möchte ihn nicht betrunken sehn.

5 *Der Pater steigt auf sein Rad.*

Oder sag lieber nichts, sonst tobt er nur, aber hab acht auf ihn.

Der Pater fährt lautlos davon.

BARBLIN Und wenn sie trotzdem kommen, Hochwürden?

10 *Im Vordergrund rechts, beim Orchestrion, erscheint der Jemand, hinter ihm Andri als Küchenjunge.*

JEMAND Wo ist mein Hut?

ANDRI Hier, mein Herr.

JEMAND Ein schwüler Abend, ich glaub, es hängt ein Ge-

15 witter in der Luft . . .

Andri gibt den Hut und bekommt ein Trinkgeld, das er ins Orchestrion wirft, aber er drückt noch nicht auf den Knopf, sondern pfeift nur und sucht auf dem Platten-wähler, während der Jemand vorn über die Szene geht,

20 *wo er stehenbleibt vor Barblin, die weißelt und nicht bemerkt hat, daß der Pater weggefahren ist.*

BARBLIN Ist's wahr, Hochwürden, was die Leut sagen? Sie sagen: Wenn einmal die Schwarzen kommen, dann wird jeder, der Jud ist, auf der Stelle geholt. ⌈Man bindet ihn

25 an einen Pfahl, sagen sie, man schießt ihn ins Genick.⌉ Ist das wahr oder ist das ein Gerücht? Und wenn er eine Braut hat, die wird geschoren, sagen sie, wie ein räudi-ger* Hund.

JEMAND Was hältst denn du für Reden?

30 BARBLIN *wendet sich und erschrickt.*

JEMAND Guten Abend.

BARBLIN Guten Abend.

JEMAND Ein schöner Abend heut.

BARBLIN *nimmt den Eimer.*

35 JEMAND Aber schwül.

Kirchen-glocke, die zur nachmittäg-lichen Andacht läutet.

Räude ist eine durch haut-schmarotzende Krätzmilben hervorgeru-fene Haut-erkrankung.

BARBLIN Ja.

JEMAND Es hängt etwas in der Luft.

BARBLIN Was meinen Sie damit?

JEMAND Ein Gewitter. Wie alles wartet auf Wind, das

Vorhänge Laub und die Stores* und der Staub. Dabei seh ich keine 5
Wolke am Himmel, aber man spürt's. So eine heiße Stille. Die Mücken spüren's auch. So eine trockene und fau-
le Stille. Ich glaub, es hängt ein Gewitter in der Luft, ein
schweres Gewitter, dem Land tät's gut . . .

Barblin geht ins Haus, der Jemand spaziert weiter, 10
Andri läßt das Orchestrion tönen, die gleiche Platte wie
zuvor, und verschwindet, einen Teller trocknend. Man
sieht den Platz von Andorra. Der Tischler und der Leh-
rer sitzen vor der Pinte. Die Musik ist aus.

LEHRER Nämlich es handelt sich um meinen Sohn. 15

TISCHLER Ich sagte: ⌜50 Pfund⌝.

LEHRER – um meinen Pflegesohn, meine ich.

TISCHLER Ich sagte: 50 Pfund.

Der Tischler klopft mit einer Münze auf den Tisch.

Ich muß gehn. 20

Der Tischler klopft nochmals.

Wieso will er grad Tischler werden? Tischler werden,
das ist nicht einfach, wenn's einer nicht im Blut hat. Und
woher soll er's im Blut haben? Ich meine ja bloß. Warum

Wertpapier-
händler nicht Makler*? Zum Beispiel. Warum nicht geht er zur 25
Börse? Ich meine ja bloß . . .

LEHRER Woher kommt dieser Pfahl?

TISCHLER Ich weiß nicht, was Sie meinen.

LEHRER Dort!

TISCHLER Sie sind ja bleich. 30

LEHRER Ich spreche von einem Pfahl!

TISCHLER Ich seh keinen Pfahl.

LEHRER Hier!

Der Tischler muß sich umdrehen.

Ist das ein Pfahl oder ist das kein Pfahl? 35

TISCHLER Warum soll das kein Pfahl sein?

LEHRER Der war gestern noch nicht.

Der Tischler lacht.

's ist nicht zum Lachen, Prader, Sie wissen genau, was
5   ich meine.

TISCHLER Sie sehen Gespenster.

LEHRER Wozu ist dieser Pfahl?

TISCHLER *klopft mit der Münze auf den Tisch.*

LEHRER Ich bin nicht betrunken. Ich sehe, was da ist, und
10   ich sage, was ich sehe, und ihr alle seht es auch –

TISCHLER Ich muß gehn.

*Der Tischler wirft eine Münze auf den Tisch und erhebt
sich.*

Ich habe gesagt: 50 Pfund.

15 LEHRER Das bleibt Ihr letztes Wort?

TISCHLER Ich heiße Prader.

LEHRER 50 Pfund?

TISCHLER Ich feilsche nicht.

LEHRER Sie sind ein feiner Mann, ich weiß . . . Prader, das
20   ist Wucher, 50 Pfund für eine Tischlerlehre, das ist Wu-
     cher. Das ist ein Witz, Prader, das wissen Sie ganz genau.
     Ich bin Lehrer, ich habe mein schlichtes Gehalt, ich habe
     kein Vermögen wie ein Tischlermeister – ich habe keine
     50 Pfund, ganz rundheraus, ich hab sie nicht!

25 TISCHLER Dann eben nicht.

LEHRER Prader –

TISCHLER Ich sagte: 50 Pfund.

Der Tischler geht.

LEHRER Sie werden sich wundern, wenn ich die Wahrheit
30   sage. ⌈Ich werde dieses Volk vor seinen Spiegel zwingen⌉,
     sein Lachen wird ihm gefrieren.

Auftritt der Wirt.

WIRT Was habt ihr gehabt?

LEHRER Ich brauch einen Korn*.   Schnaps

35 WIRT Ärger?

LEHRER 50 Pfund für eine Lehre!

WIRT Ich hab's gehört.

LEHRER – ich werde sie beschaffen.

Der Lehrer lacht.

Wenn's einer nicht im Blut hat!   5

Der Wirt wischt mit einem Lappen über die Tischlein.

Sie werden ihr eignes Blut noch kennenlernen.

WIRT Man soll sich nicht ärgern über die eignen Landsleute, das geht auf die Nieren und ändert die Landsleute
gar nicht. Natürlich ist's Wucher! Die Andorraner sind   10
gemütliche Leut, aber wenn es ums Geld geht, das hab
ich immer gesagt, dann sind sie wie der Jud.

Der Wirt will gehen.

LEHRER Woher wißt ihr alle, wie der Jud ist?

WIRT Can –   15

LEHRER Woher eigentlich?

WIRT – ich habe nichts gegen deinen Andri. Wofür hältst
du mich? Sonst hätt ich ihn wohl nicht als Küchenjunge
genommen. Warum siehst du mich so schief an? Ich
habe Zeugen. Hab ich nicht bei jeder Gelegenheit ge-   20
sagt, Andri ist eine Ausnahme?

LEHRER Reden wir nicht davon!

WIRT Eine regelrechte Ausnahme –

Glockenbimmeln

LEHRER Wer hat diesen Pfahl hier aufgestellt?   25

WIRT Wo?

LEHRER Ich bin nicht immer betrunken, wie Hochwürden
meinen. Ein Pfahl ist ein Pfahl. Jemand hat ihn aufgestellt. Von gestern auf heut. Das wächst nicht aus dem
Boden.   30

WIRT Ich weiß es nicht.

LEHRER Zu welchem Zweck?

WIRT Vielleicht das Bauamt, ich weiß nicht, das Straßen-
amt, irgendwo müssen die Steuern ja hin, vielleicht wird
gebaut, eine Umleitung vielleicht, das weiß man nie,   35
vielleicht die Kanalisation –

LEHRER Vielleicht.

WIRT Oder das Telefon –

LEHRER Vielleicht auch nicht.

WIRT Ich weiß nicht, was du hast.

5 LEHRER Und wozu der Strick dabei?

WIRT Weiß ich's.

LEHRER Ich sehe keine Gespenster, ich bin nicht verrückt, ich seh einen Pfahl, der sich eignet für allerlei –

WIRT Was ist dabei!

10 *Der Wirt geht in die Pinte. Der Lehrer allein. Wieder Glockenbimmeln. Der Pater im Meßgewand geht mit raschen Schritten über den Platz, gefolgt von Meßknaben, deren Weihrauchgefäße einen starken Duft hinterlassen. Der Wirt kommt mit dem Schnaps.*

15 WIRT 50 Pfund will er?

LEHRER – ich werde sie beschaffen.

WIRT Aber wie?

LEHRER Irgendwie.

Der Lehrer kippt den Schnaps.

20 Land verkaufen.

Der Wirt setzt sich zum Lehrer.

Irgendwie . . .

WIRT Wie groß ist dein Land?

LEHRER Wieso?

25 WIRT Ich kaufe Land jederzeit. Wenn's nicht zu teuer ist! Ich meine: Wenn du Geld brauchst unbedingt.

Lärm in der Pinte

Ich komme!

Der Wirt greift den Lehrer am Arm.

30 Überleg es dir, Can, in aller Ruh, aber mehr als 50 Pfund kann ich nicht geben –

Der Wirt geht.

LEHRER »Die Andorraner sind gemütliche Leut, aber wenn es ums Geld geht, dann sind sie wie der Jud.«

35 *Der Lehrer kippt nochmals das leere Glas, während Barblin, gekleidet für die Prozession, neben ihn tritt.*

BARBLIN Vater?

LEHRER Wieso bist du nicht an der Prozession?

BARBLIN Du hast versprochen, Vater, nichts zu trinken am
Sanktgeorgstag –

LEHRER *legt eine Münze auf den Tisch.* 5

BARBLIN Sie kommen hier vorbei.

LEHRER 50 Pfund für eine Lehre!

*Jetzt hört man lauten und hellen Gesang, Glockengeläu-
te, im Hintergrund zieht die Prozession vorbei, Barblin
kniet nieder, der Lehrer bleibt sitzen. Leute sind auf den* 10
*Platz gekommen, sie knien alle nieder, und man sieht
über die Knienden hinweg: Fahnen, die Muttergottes
wird vorbeigetragen, begleitet von aufgepflanzten Ba-
jonetten. Alle bekreuzigen sich, der Lehrer erhebt sich
und geht in die Pinte. Die Prozession ist langsam und* 15
*lang und schön; der helle Gesang verliert sich in die Fer-
ne, das Glockengeläute bleibt. Andri tritt aus der Pinte,
während die Leute sich der Prozession anschließen, und
hält sich abseits; er flüstert:*

ANDRI Barblin! 20

BARBLIN *bekreuzigt sich.*

ANDRI Hörst du mich nicht?

BARBLIN *erhebt sich.*

ANDRI Barblin?!

BARBLIN Was ist? 25

ANDRI – ich werde Tischler!

Barblin folgt als letzte der Prozession, Andri allein.

ANDRI Die Sonne scheint grün in den Bäumen heut. Heut
läuten die Glocken auch für mich.

Er zieht seine Schürze ab. 30

Später werde ich immer denken, daß ich jetzt gejauchzt
habe. Dabei zieh ich bloß meine Schürze ab, ich staune,
wie still. Man möchte seinen Namen in die Luft werfen
wie eine Mütze, und dabei steh ich nur da und rolle
meine Schürze. So ist Glück. Nie werde ich vergessen, 35
wie ich jetzt hier stehe . . .

Krawall in der Pinte

ANDRI Barblin, wir heiraten!

Andri geht.

WIRT Hinaus! Er ist sternhagelvoll, dann schwatzt er immer so. Hinaus! sag ich.

Heraus stolpert der Soldat mit der Trommel.

WIRT Ich geb dir keinen Tropfen mehr.

SOLDAT – ich bin Soldat.

WIRT Das sehen wir.

SOLDAT – und heiße Peider.

WIRT Das wissen wir.

SOLDAT Also.

WIRT Hör auf, Kerl, mit diesem Radau!

SOLDAT Wo ist sie?

WIRT Das hat doch keinen Zweck, Peider. Wenn ein Mädchen nicht will, dann will es nicht. Steck deine Schlegel* ein! Du bist blau. Denk an das Ansehen der Armee!

Der Wirt geht in die Pinte.

SOLDAT Hosenscheißer! Sie sind's nicht wert, daß ich kämpfe für sie. Nein. Aber ich kämpfe. Das steht fest. Bis zum letzten Mann, das steht fest, lieber tot als Untertan, und drum sage ich: Also – ich bin Soldat und hab ein Aug auf sie . . .

Auftritt Andri, der seine Jacke anzieht.

SOLDAT Wo ist sie?

ANDRI Wer?

SOLDAT Deine Schwester.

ANDRI Ich habe keine Schwester.

SOLDAT Wo ist die Barblin?

ANDRI Warum?

SOLDAT Ich hab Urlaub und ein Aug auf sie . . .

Andri hat seine Jacke angezogen und will weitergehen, der Soldat stellt ihm das Bein, so daß Andri stürzt, und lacht.

Ein Soldat ist keine Vogelscheuche. Verstanden? Einfach

* Trommelstöcke

vorbeilaufen. Ich bin Soldat, das steht fest, und du bist
Jud.

Andri erhebt sich wortlos.

Oder bist du vielleicht kein Jud?

Andri schweigt.   5

Aber du hast Glück, ein sozusagen verfluchtes Glück,
nicht jeder Jud hat Glück so wie du, nämlich du kannst
dich beliebt machen.

Andri wischt seine Hosen ab.

Ich sage: beliebt machen!   10

ANDRI Bei wem?

SOLDAT Bei der Armee.

ANDRI Du stinkst ja nach Trester*.

SOLDAT Was sagst du?

ANDRI Nichts.   15

SOLDAT Ich stinke?

ANDRI Auf sieben Schritt und gegen den Wind.

SOLDAT Paß auf, was du sagst.

Der Soldat versucht den eignen Atem zu riechen.

Ich riech nichts.   20

Andri lacht.

's ist nicht zum Lachen, wenn einer Jud ist, 's ist nicht
zum Lachen, du, nämlich ein Jud muß sich beliebt machen.

ANDRI Warum?   25

SOLDAT *grölt:*

»Wenn einer seine Liebe hat
und einer ist Soldat, Soldat,
das heißt Soldatenleben,
⌜und auf den Bock   30
und ab den Rock⌝ –«
Gaff nicht so wie ein Herr!
»Wenn einer seine Liebe hat
und einer ist Soldat, Soldat.«

ANDRI Kann ich jetzt gehn?   35

Branntwein,
gewonnen aus
den bereits für
den Wein aus-
gepressten
Trauben.

Erstes Bild

SOLDAT Mein Herr!

ANDRI Ich bin kein Herr.

SOLDAT Dann halt Küchenjunge.

ANDRI Gewesen.

5 SOLDAT So einer wird ja nicht einmal Soldat.

ANDRI Weißt du, was das ist?

SOLDAT Geld?

ANDRI Mein Lohn. Ich werde Tischler jetzt.

SOLDAT Pfui Teufel!

10 ANDRI Wieso?

SOLDAT Ich sage: Pfui Teufel!

Der Soldat schlägt ihm das Geld aus der Hand und lacht.

Da!

15 *Andri starrt den Soldaten an.*

So'n Jud denkt alleweil nur ans Geld.

Andri beherrscht sich mit Mühe, dann bückt er sich und sammelt die Münzen auf dem Pflaster.

Also du willst dich nicht beliebt machen?

20 ANDRI Nein.

SOLDAT Das steht fest?

ANDRI Ja.

SOLDAT Und für deinesgleichen sollen wir kämpfen? Bis
zum letzten Mann, weißt du, was das heißt, ein Batail-

25 lon* gegen zwölf Bataillone, das ist ausgerechnet, ⌜lieber
tot als Untertan⌝, das steht fest, aber nicht für dich!

ANDRI Was steht fest?

SOLDAT Ein Andorraner ist nicht feig. Sollen sie kommen
mit ihren Fallschirmen wie die Heuschrecken vom Him-

30 mel herab, da kommen sie nicht durch, so wahr ich Peider heiße, bei mir nicht. Das steht fest. Bei mir nicht.
Man wird ein blaues Wunder erleben!

ANDRI Wer wird ein blaues Wunder erleben?

SOLDAT Bei mir nicht.

35 *Hinzutritt ein Idiot, der nur grinsen und nicken kann.*

kleinste Form des Truppen-verbands, Teil eines Regi-ments

Der Soldat spricht nicht zu ihm, sondern zu einer ver-
meintlichen Menge.

Habt ihr das wieder gehört? Er meint, wir haben Angst.
Weil er selber Angst hat! Wir kämpfen nicht, sagt er, bis
zum letzten Mann, wir sterben nicht vonwegen ihrer
Übermacht, wir ziehen den Schwanz ein, wir scheißen in
die Hosen, daß es zu den Stiefeln heraufkommt, das
wagt er zu sagen: mir ins Gesicht, der Armee ins Gesicht!

ANDRI Ich habe kein Wort gesagt.

SOLDAT Ich frage: Habt ihr's gehört?

IDIOT *nickt und grinst.*

SOLDAT Ein Andorraner hat keine Angst!

ANDRI Das sagtest du schon.

SOLDAT Aber du hast Angst!

ANDRI *schweigt.*

SOLDAT Weil du feig bist.

ANDRI Wieso bin ich feig?

SOLDAT Weil du Jud bist.

IDIOT *grinst und nickt.*

SOLDAT So, und jetzt geh ich . . .

ANDRI Aber nicht zu Barblin!

SOLDAT Wie er rote Ohren hat!

ANDRI Barblin ist meine Braut.

SOLDAT *lacht.*

ANDRI Das ist wahr.

SOLDAT *grölt:*
»Und mit dem Bock
und in den Rock
und ab den Rock
und mit dem Bock
und mit dem Bock –«

ANDRI Geh nur!

SOLDAT Braut! hat er gesagt.

ANDRI Barblin wird dir den Rücken drehn.

SOLDAT Dann nehm ich sie von hinten!

ANDRI – du bist ein Vieh. → cattle, beast

SOLDAT Was sagst du?

ANDRI Ein Vieh.

SOLDAT Sag das noch einmal. Wie er zittert! Sag das noch
einmal. Aber laut, daß der ganze Platz es hört. Sag das
noch einmal.
Andri geht.

SOLDAT Was hat er da gesagt?

IDIOT *grinst und nickt.*

SOLDAT Ein Vieh? Ich bin ein Vieh?

IDIOT *nickt und grinst.*

SOLDAT Der macht sich nicht beliebt bei mir.

Der Wirt, jetzt ohne die Wirteschürze, tritt an die ⌐Zeugenschranke⌐.

WIRT Ich gebe zu: Wir haben uns in dieser Geschichte alle getäuscht. Damals. Natürlich hab ich geglaubt, was alle geglaubt haben, damals. Er selbst hat's geglaubt. Bis zuletzt. Ein Judenkind, das unser Lehrer gerettet habe vor den Schwarzen da drüben, so hat's immer geheißen, und wir fanden's großartig, daß der Lehrer sich sorgte wie um einen eigenen Sohn. Ich jedenfalls fand das großartig. Hab ich ihn vielleicht an den Pfahl gebracht? Niemand von uns hat wissen können, daß Andri wirklich sein eigner Sohn ist, der Sohn von unsrem Lehrer. Als er mein Küchenjunge war, hab ich ihn schlecht behandelt? Ich bin nicht schuld, daß es dann so gekommen ist. Das ist alles, was ich nach Jahr und Tag dazu sagen kann. Ich bin nicht schuld.

Zweites Bild

*Andri und Barblin auf der Schwelle vor der Kammer der
Barblin.*

BARBLIN Andri, schläfst du?

ANDRI Nein.

BARBLIN Warum gibst du mir keinen Kuß?

ANDRI Ich bin wach, Barblin, ich denke.

BARBLIN Die ganze Nacht.

ANDRI Ob's wahr ist, was die andern sagen.

*Barblin hat auf seinen Knien gelegen, jetzt richtet sie
sich auf, sitzt und löst ihre Haare.*

ANDRI Findest du, sie haben recht?

BARBLIN Fang jetzt nicht wieder an!

ANDRI Vielleicht haben sie recht.

Barblin beschäftigt sich mit ihrem Haar.

ANDRI Vielleicht haben sie recht . . .

BARBLIN Du hast mich ganz zerzaust.

ANDRI Meinesgleichen, sagen sie, hat kein ⌐Gefühl.

BARBLIN Wer sagt das?

ANDRI Manche.

BARBLIN Jetzt schau dir meine Bluse an!

ANDRI Alle.

BARBLIN Soll ich sie ausziehen? – *Barblin zieht ihre Bluse
aus.*

ANDRI Meinesgleichen, sagen sie, ist geil, aber ohne Ge-
müt⌐, weißt du –

BARBLIN Andri, du denkst zuviel!

Barblin legt sich wieder auf seine Knie.

ANDRI Ich lieb dein Haar, dein rotes Haar, dein leichtes
warmes bitteres Haar, Barblin, ich werde sterben, wenn
ich es verliere.

Andri küßt ihr Haar.

Und warum schläft denn du nicht?

BARBLIN *horcht.*

ANDRI Was war das?

BARBLIN Die Katze.

ANDRI *horcht.*

BARBLIN Ich hab sie ja gesehen.

ANDRI War das die Katze?

BARBLIN Sie schlafen doch alle . . .

Barblin legt sich wieder auf seine Knie.

Küß mich!

ANDRI *lacht.*

BARBLIN Worüber lachst du?

ANDRI Ich muß ja dankbar sein!

BARBLIN Ich weiß nicht, wovon du redest.

ANDRI Von deinem Vater. Er hat mich gerettet, er fände es sehr undankbar von mir, wenn ich seine Tochter verführte. Ich lache, aber es ist nicht zum Lachen, wenn man den Menschen immerfort dankbar sein muß, daß man lebt.

Pause

Vielleicht bin ich drum nicht lustig.

BARBLIN *küßt ihn.*

ANDRI Bist du ganz sicher, Barblin, daß du mich willst?

BARBLIN Warum fragst du das immer.

ANDRI Die andern sind lustiger.

BARBLIN Die andern!

ANDRI Vielleicht haben sie recht. Vielleicht bin ich feig, sonst würde ich endlich zu deinem Alten gehn und sagen, daß wir verlobt sind. Findest du mich feig?

Man hört Grölen in der Ferne.

ANDRI Jetzt grölen sie immer noch.

Das Grölen verliert sich.

BARBLIN Ich geh nicht mehr aus dem Haus, damit sie mich in Ruh lassen. Ich denke an dich, Andri, den ganzen Tag, wenn du an der Arbeit bist, und jetzt bist du da, und wir

sind allein – ich will, daß du an mich denkst, Andri,
nicht an die andern. Hörst du? Nur an mich und an uns.
Und ich will, daß du stolz bist, Andri, fröhlich und stolz,
weil ich dich liebe vor allen andern.

5 ANDRI Ich habe Angst, wenn ich stolz bin.

BARBLIN Und jetzt will ich einen Kuß.

Andri gibt ihr einen Kuß.

Viele viele Küsse!

Andri denkt.

10 Ich denke nicht an die andern, Andri, wenn du mich
hältst mit deinen Armen und mich küssest, glaub mir,
ich denke nicht an sie.

ANDRI – aber ich.

BARBLIN Du mit deinen andern die ganze Zeit!

15 ANDRI Sie haben mir wieder das Bein gestellt.

Eine Turmuhr schlägt.

ANDRI Ich weiß nicht, wieso ich anders bin als alle. Sag es
mir. Wieso? Ich seh's nicht . . .

Eine andere Turmuhr schlägt.

20 ANDRI Jetzt ist es schon wieder drei.

BARBLIN Laß uns schlafen!

ANDRI Ich langweile dich.

Barblin schweigt.

Soll ich die Kerze löschen? . . . du kannst schlafen, ich
25 wecke dich um sieben.

Pause

Da ist kein Aberglaube, o nein, das gibt's, Menschen, die
verflucht sind, und man kann machen mit ihnen, was
man will, ihr Blick genügt, plötzlich bist du so, wie sie
30 sagen. Das ist das Böse. Alle haben es in sich, keiner will
es haben, und wo soll das hin? In die Luft? Es ist in der
Luft, aber da bleibt's nicht lang, es muß in einen Menschen hinein, damit sie's eines Tages packen und töten
können . . .

35 *Andri ergreift die Kerze.*

Kennst du einen Soldat namens Peider?
Barblin murrt schläfrig.
Er hat ein Aug auf dich.
BARBLIN Der!
ANDRI – ich dachte, du schläfst schon.   5
Andri bläst die Kerze aus.

Vordergrund

Der Tischler tritt an die Zeugenschranke.

TISCHLER Ich gebe zu: Das mit den 50 Pfund für die Lehre, das war eben, weil ich ihn nicht in meiner Werkstatt wollte, und ich wußte ja, es wird nur Unannehmlichkeiten geben. Wieso wollte er nicht Verkäufer werden? Ich dachte, das würd ihm liegen. Niemand hat wissen können, daß er keiner ist. Ich kann nur sagen, daß ich es im Grund wohlmeinte mit ihm. Ich bin nicht schuld, daß es so gekommen ist später.

Drittes Bild

Maschine zum spanabhebenden Formen

Man hört eine Fräse*, Tischlerei, Andri und ein Geselle je mit einem fertigen Stuhl.

ANDRI Ich habe auch schon Linksaußen gespielt, wenn kein andrer wollte. Natürlich will ich, wenn eure Mannschaft mich nimmt.

GESELLE Hast du Fußballschuh?

ANDRI Nein.

GESELLE Brauchst du aber.

ANDRI Was kosten die?

GESELLE Ich hab ein altes Paar, ich verkaufe sie dir. Ferner brauchst du natürlich schwarze Shorts und ein gelbes Tschersi*, das ist klar, und gelbe Strümpfe natürlich.

Sport-Shirt, benannt nach der englischen Kanalinsel Jersey.

ANDRI Rechts bin ich stärker, aber wenn ihr einen Linksaußen braucht, also einen Eckball bring ich schon herein.

Andri reibt die Hände.

Das ist toll, Fedri, wenn das klappt.

GESELLE Warum soll's nicht?

ANDRI Das ist toll.

GESELLE Ich bin Käpten, und du bist mein Freund.

ANDRI Ich werde trainieren.

GESELLE Aber reib nicht immer die Hände*, sonst lacht die ganze Tribüne. *Andri steckt die Hände in die Hosentaschen.*

Geste, die jüdischen Kaufleuten nachgesagt wird.

Hast du Zigaretten? So gib schon. Mich bellt er nicht an! Sonst erschrickt er nämlich über sein Echo. Oder hast du je gehört, daß der mich anbellt?

Der Geselle steckt sich eine Zigarette an.

ANDRI Das ist toll, Fedri, daß du mein Freund bist.

GESELLE Dein erster Stuhl?

ANDRI Wie findest du ihn?

Der Geselle nimmt den Stuhl von Andri und versucht
ein Stuhlbein herauszureißen, Andri lacht.
Die sind nicht zum Ausreißen!
GESELLE So macht er's nämlich.
5 ANDRI Versuch's nur!
Der Geselle versucht es vergeblich.
Er kommt.
GESELLE Du hast Glück.
ANDRI Jeder rechte Stuhl ist ⌈verzapft⌉. Wieso Glück? Nur
10 was geleimt ist, geht aus dem Leim. *Auftritt der Tischler.*
TISCHLER ... schreiben Sie diesen Herrschaften, ich heiße
Prader. Ein Stuhl von Prader bricht nicht zusammen,
das weiß jedes Kind, ein Stuhl von Prader ist ein Stuhl
von Prader. Und überhaupt: bezahlt ist bezahlt. Mit ei-
15 nem Wort: Ich feilsche nicht.
Zu den beiden:
Habt ihr Ferien?
Der Geselle verzieht sich flink.
Wer hat hier wieder geraucht?
20 *Andri schweigt.*
Ich riech es ja.
Andri schweigt.
Wenn du wenigstens den Schneid* hättest –   Mut
ANDRI Heut ist Sonnabend.
25 TISCHLER Was hat das damit zu tun?
ANDRI Wegen meiner Lehrlingsprobe. Sie haben gesagt:
Am letzten Sonnabend in diesem Monat. Hier ist mein
erster Stuhl.
Der Tischler nimmt einen Stuhl.
30 Nicht dieser, Meister, der andere!
TISCHLER Tischler werden ist nicht einfach, wenn's einer
nicht im Blut hat. Nicht einfach. Woher sollst du's im
Blut haben. Das hab ich deinem Vater aber gleich gesagt.
Warum gehst du nicht in den Verkauf? Wenn einer nicht
35 aufgewachsen ist mit dem Holz, siehst du, mit unserem

Holz – lobpreiset eure ⌈Zedern vom Libanon⌉, aber hierzuland wird in andorranischer Eiche gearbeitet, mein
Junge.

ANDRI Das ist Buche.

TISCHLER Meinst du, du mußt mich belehren? 5

ANDRI Sie wollen mich prüfen, meinte ich.

TISCHLER *versucht ein Stuhlbein auszureißen.*

ANDRI Meister, das ist aber nicht meiner!

TISCHLER Da –

Der Tischler reißt ein erstes Stuhlbein aus. 10
Was hab ich gesagt?
Der Tischler reißt die andern drei Stuhlbeine aus.
– wie die Froschbeine, wie die Froschbeine. Und so ein
Humbug soll in den Verkauf. Ein Stuhl von Prader,
weißt du, was das heißt? – da, 15
Der Tischler wirft ihm die Trümmer vor die Füße.
schau's dir an!

ANDRI Sie irren sich.

TISCHLER Hier – das ist ein Stuhl!
Der Tischler setzt sich auf den andern Stuhl. 20
Hundert Kilo, Gott sei's geklagt, hundert Kilo hab ich
am Leib, aber was ein rechter Stuhl ist, das ächzt nicht,
wenn ein rechter Mann sich draufsetzt, und das wackelt
nicht. Ächzt das?

ANDRI Nein. 25

TISCHLER Wackelt das?

ANDRI Nein.

TISCHLER Also!

ANDRI Das ist meiner.

TISCHLER – und wer soll diesen Humbug gemacht haben? 30

ANDRI Ich hab es Ihnen aber gleich gesagt.

TISCHLER Fedri! Fedri! *Die Fräse verstummt.*

TISCHLER Nichts als Ärger hat man mit dir, das ist der
Dank, wenn man deinesgleichen in die Bude nimmt, ich
hab's ja geahnt. *Auftritt der Geselle.* 35

Fedri, bist du ein Gesell oder was bist du?

GESELLE Ich –

TISCHLER Wie lang arbeitest du bei Prader & Sohn?

GESELLE Fünf Jahre.

5 TISCHLER Welchen Stuhl hast du gemacht? Schau sie dir
an. Diesen oder diesen? Und antworte.

Der Geselle mustert die Trümmer.

Antworte frank und blank.

GESELLE – ich . . .

10 TISCHLER Hast du verzapft oder nicht?

GESELLE – jeder rechte Stuhl ist verzapft . . .

TISCHLER Hörst du's?

GESELLE – Nur was geleimt ist, geht aus dem Leim . . .

TISCHLER Du kannst gehn.

15 GESELLE *erschrickt.*

TISCHLER In die Werkstatt, meine ich.

Der Geselle geht rasch.

Das laß dir eine Lehre sein. Aber ich hab's ja gewußt, du
gehörst nicht in eine Werkstatt.

20 *Der Tischler sitzt und stopft sich eine Pfeife.*

Schad ums Holz.

ANDRI *schweigt.*

TISCHLER Nimm das zum Heizen.

ANDRI Nein.

25 TISCHLER *zündet sich die Pfeife an.*

ANDRI Das ist eine Gemeinheit!

TISCHLER *zündet sich die Pfeife an.*

ANDRI . . . ich nehm's nicht zurück, was ich gesagt habe.
Sie sitzen auf meinem Stuhl, ich sag es Ihnen, Sie lügen,
30 wie's Ihnen grad paßt, und zünden sich die Pfeife an. Sie,
ja, Sie! Ich hab Angst vor euch, ja, ich zittere. Wieso hab
ich kein Recht vor euch? Ich bin jung, ich hab gedacht:
Ich muß bescheiden sein. Es hat keinen Zweck, Sie machen sich nichts aus Beweisen. Sie sitzen auf meinem
35 Stuhl. Das kümmert Sie aber nicht? Ich kann tun, was

ich will, ihr dreht es immer gegen mich, und der Hohn
nimmt kein Ende. Ich kann nicht länger schweigen, es
zerfrißt mich. Hören Sie denn überhaupt zu? Sie saugen
an Ihrer Pfeife herum, und ich sag Ihnen ins Gesicht: Sie
lügen. Sie wissen ganz genau, wie gemein Sie sind. Sie   5
sind hundsgemein. Sie sitzen auf dem Stuhl, den ich gemacht habe, und zünden sich Ihre Pfeife an. Was hab ich
Ihnen zuleid getan? Sie wollen nicht, daß ich tauge.
Warum schmähen Sie mich? Sie sitzen auf meinem Stuhl.
Alle schmähen mich und frohlocken und hören nicht   10
auf. Wiesɋ seid ihr stärker als die Wahrheit? Sie wissen
genau, was wahr ist. Sie sitzen drauf –
Der Tischler hat endlich die Pfeife angezündet.
Sie haben keine Scham –.

TISCHLER Schnorr nicht soviel.*   15
ANDRI Sie sehen aus wie eine Kröte!
TISCHLER Erstens ist hier keine ⌐Klagemauer⌐.
*Der Geselle und zwei andere verraten sich durch Ki-
chern.*
TISCHLER Soll ich eure ganze Fußballmannschaft entlas-   20
sen?
Der Geselle und die andern verschwinden.
Erstens ist hier keine Klagemauer, zweitens habe ich
kein Wort davon gesagt, daß ich dich deswegen entlasse.
Kein Wort. Ich habe eine andere Arbeit für dich. Zieh   25
deine Schürze aus! Ich zeige dir, wie man Bestellungen
schreibt. Hörst du zu, wenn dein Meister spricht? Für
jede Bestellung, die du hereinbringst mit deiner Schnor-
rerei, verdienst du ein halbes Pfund. Sagen wir: ein ganzes Pfund für drei Bestellungen. Ein ganzes Pfund! Das   30
ist's, was deinesgleichen im Blut hat, glaub mir, und jedermann soll tun, was er im Blut hat. Du kannst Geld
verdienen, Andri, Geld, viel Geld . . .
Andri reglos.
Abgemacht?   35

Hier nicht im
Sinn von »bet-
teln«, sondern
von »zu viel
reden«.

Der Tischler erhebt sich und klopft Andri auf die Schul-
ter.
Ich mein's gut mit dir.
Der Tischler geht, man hört die Fräse wieder.
5 ANDRI Ich wollte aber Tischler werden . . .

*Der Geselle, jetzt in einer Motorradfahrerjacke, tritt an
die Zeugenschranke.*

GESELLE Ich geb zu: Es war mein Stuhl und nicht sein
Stuhl. Damals. Ich wollte ja nachher mit ihm reden, aber
da war er schon so, daß man halt nicht mehr reden
konnte mit ihm. Nachher hab ich ihn auch nicht mehr
leiden können, geb ich zu. Er hat einem nicht einmal
mehr guten Tag gesagt. Ich sag ja nicht, es sei ihm recht
geschehen, aber es lag halt auch an ihm, sonst wär's nie
so gekommen. Als wir ihn nochmals fragten wegen Fußball, da war er sich schon zu gut für uns. Ich bin nicht
schuld, daß sie ihn geholt haben später.

Viertes Bild

Stube beim Lehrer. Andri sitzt und wird vom Doktor
untersucht, der ihm einen Löffel in den Hals hält, die
Mutter daneben.

5 ANDRI Aaaandorra.

DOKTOR Aber lauter, mein Freund, viel lauter!

ANDRI Aaaaaaandorra.

DOKTOR Habt Ihr einen längeren Löffel?

Die Mutter geht hinaus.

10 Wie alt bist du?

ANDRI Zwanzig.

DOKTOR *zündet sich einen Zigarillo an.*

ANDRI Ich bin noch nie krank gewesen.

DOKTOR Du bist ein strammer Bursch, das seh ich, ein bra-
15 ver Bursch, ein gesunder Bursch, das gefällt mir, mens
sana in corpore sano*, wenn du weißt, was das heißt.

ANDRI Nein.

DOKTOR Was ist dein Beruf?

ANDRI Ich wollte Tischler werden –

20 DOKTOR Zeig deine Augen!

Der Doktor nimmt eine Lupe aus der Westentasche und
prüft die Augen.

Das andre!

ANDRI Was ist das – ein Virus*?

25 DOKTOR Ich habe deinen Vater gekannt vor zwanzig Jahren, habe gar nicht gewußt, daß der einen Sohn hat. Der
Eber! So nannten wir ihn. Immer mit dem Kopf durch
die Wand! Er hat von sich reden gemacht damals, ein
junger Lehrer, der die Schulbücher zerreißt, er wollte
30 andre haben, und als er dann doch keine andern bekam,
da hat er die andorranischen Kinder gelehrt, Seite um
Seite mit einem schönen Rotstift anzustreichen, was in

(lat.) »Ein ge-
sunder Geist
wohnt in ei-
nem gesunden
Körper.«

Krankheits-
erreger

den andorranischen Schulbüchern nicht wahr ist. Und sie konnten es ihm nicht widerlegen. Er war ein Kerl. Niemand wußte, was er eigentlich wollte. Ein Teufelskerl. Die Damen waren scharf auf ihn –

Eintritt die Mutter mit dem längeren Löffel. 5

Euer Sohn gefällt mir.

Die Untersuchung wird fortgesetzt.

Tischler ist ein schöner Beruf, ein andorranischer Beruf, nirgends in der Welt gibt es so gute Tischler wie in Andorra, das ist bekannt. 10

ANDRI Aaaaaaaaaaandorra!

DOKTOR Nochmal.

ANDRI Aaaaaaaaaaandorra!

MUTTER Ist es schlimm, Doktor?

DOKTOR Was Doktor! Ich heiße Ferrer. 15

Der Doktor mißt den Puls.

Professor, genau genommen, aber ich gebe nichts auf ⌈Titel⌉, liebe Frau. Der Andorraner ist nüchtern und schlicht, sagt man, und da ist etwas dran. Der Andorraner macht keine Bücklinge*. Ich hätte Titel haben können noch und noch. Andorra ist eine Republik, das hab ich ihnen in der ganzen Welt gesagt: Nehmt euch ein Beispiel dran! Bei uns gilt ein jeder, was er ist. Warum bin ich zurückgekommen, meinen Sie, nach zwanzig Jahren? 25

Der Doktor verstummt, um den Puls zählen zu können.

Hm.

MUTTER Ist es schlimm, Professor?

DOKTOR Liebe Frau, wenn einer in der Welt herumgekommen ist wie ich, dann weiß er, was das heißt: Heimat! 30 Hier ist mein Platz, Titel hin oder her, hier bin ich verwurzelt.

Andri hustet.

Seit wann hustet er?

ANDRI Ihr Zigarillo, Professor, Ihr Zigarillo! 35

Verbeugungen (margin note, line 19–20)

DOKTOR Andorra ist ein kleines Land, aber ein freies
Land. Wo gibt's das noch? Kein Vaterland in der Welt
hat einen schöneren Namen, und kein Volk auf Erden ist
so frei – Mund auf, mein Freund, Mund auf! *Der Dok-*
tor schaut nochmals in den Hals, dann nimmt er den
Löffel heraus.
Ein bißchen entzündet.

ANDRI Ich?

DOKTOR Kopfweh?

ANDRI Nein.

DOKTOR Schlaflosigkeit?

ANDRI Manchmal.

DOKTOR Aha.

ANDRI Aber nicht deswegen.

Der Doktor steckt ihm nochmals den Löffel in den Hals.
Aaaaaaaa-Aaaaaaaaaaaaaaaaaandorra.

DOKTOR So ist's gut, mein Freund, so muß es tönen, daß
jeder Jud in den Boden versinkt, wenn er den Namen
unseres Vaterlands hört. *Andri zuckt.*
Verschluck den Löffel nicht!

MUTTER Andri . . .

ANDRI *ist aufgestanden.*

DOKTOR Also tragisch ist es nicht, ein bißchen entzündet,
ich mache mir keinerlei Sorgen, eine Pille vor jeder
Mahlzeit –

ANDRI Wieso – soll der Jud – versinken im Boden?

DOKTOR Wo habe ich sie bloß.
Der Doktor kramt in seinem Köfferchen.
Das fragst du, mein junger Freund, weil du noch nie in
der Welt gewesen bist. Ich kenne den Jud. Wo man hin-
kommt, da hockt er schon, der alles besser weiß, und du,
ein schlichter Andorraner kannst einpacken. So ist es
doch. Das Schlimme am Jud ist sein Ehrgeiz. In allen
Ländern der Welt hocken sie auf allen Lehrstühlen, ich
hab's erfahren, und unsereinem bleibt nichts andres üb-

rig als die Heimat. Dabei habe ich nichts gegen den Jud. Ich bin nicht für Greuel. Auch ich habe Juden gerettet, obschon ich sie nicht riechen kann. Und was ist der Dank? Sie sind nicht zu ändern. Sie hocken auf allen Lehrstühlen der Welt. Sie sind nicht zu ändern.   5

Der Doktor reicht die Pillen.

Hier deine Pillen!

Andri nimmt sie nicht, sondern geht.

Was hat er denn plötzlich?

MUTTER Andri! Andri!   10

DOKTOR Einfach rechtsumkehrt und davon . . .

MUTTER Das hätten Sie vorhin nicht sagen sollen, Professor, das mit dem Jud.

DOKTOR Warum denn nicht?

MUTTER Andri ist Jud.   15

Eintritt der Lehrer, Schulhefte im Arm.

LEHRER Was ist los?

MUTTER Nichts, reg dich nicht auf, gar nichts.

DOKTOR Das hab ich ja nicht wissen können –

LEHRER Was?   20

DOKTOR Wieso denn ist euer Sohn ein Jud?

LEHRER *schweigt.*

DOKTOR Ich muß schon sagen, einfach rechtsumkehrt und davon, ich habe ihn ärztlich behandelt, sogar geplaudert mit ihm, ich habe ihm erklärt, was ein Virus ist –   25

LEHRER Ich hab zu arbeiten.

Schweigen

MUTTER Andri ist unser Pflegesohn.

LEHRER Guten Abend.

DOKTOR Guten Abend.   30

Der Doktor nimmt Hut und Köfferchen.

Ich geh ja schon. *Der Doktor geht.*

LEHRER Was ist wieder geschehn?

MUTTER Reg dich nicht auf!

LEHRER Wie kommt diese Existenz in mein Haus?   35

MUTTER Er ist der neue Amtsarzt.

Eintritt nochmals der Doktor.

DOKTOR Er soll die Pillen trotzdem nehmen.

Der Doktor zieht den Hut ab.

Bitte um Entschuldigung.

Der Doktor setzt den Hut wieder auf.

Was hab ich denn gesagt . . . bloß weil ich gesagt habe . . . im Spaß natürlich, sie verstehen keinen Spaß, das
sag ich ja, hat man je einen Juden getroffen, der Spaß
versteht? Also ich nicht . . . dabei hab ich bloß gesagt:
Ich kenne den Jud. Die Wahrheit wird man in Andorra
wohl noch sagen dürfen . . .

LEHRER *schweigt.*

DOKTOR Wo hab ich jetzt meinen Hut?

LEHRER *tritt zum Doktor, nimmt ihm den Hut vom Kopf,*
öffnet die Türe und wirft den Hut hinaus.

Dort ist Ihr Hut!

Der Doktor geht.

MUTTER Ich habe dir gesagt, du sollst dich nicht aufregen.
Das wird er nie verzeihen. Du verkrachst dich mit aller
Welt, das macht es dem Andri nicht leichter.

LEHRER Er soll kommen.

MUTTER Andri! Andri!

LEHRER Der hat uns noch gefehlt. Der und Amtsarzt! Ich
weiß nicht, die Welt hat einen Hang, immer grad die
mieseste Wendung zu nehmen . . .

Eintreten Andri und Barblin.

LEHRER Also ein für allemal, Andri, kümmre dich nicht
um ihr Geschwätz. Ich werde kein Unrecht dulden, das
weißt du, Andri.

ANDRI Ja, Vater.

LEHRER Wenn dieser Herr, der neuerdings unser Amtsarzt
ist, noch einmal sein dummes Maul auftut, dieser Akademiker, dieser verkrachte, dieser Schmugglersohn – ich
hab auch geschmuggelt, ja, wie jeder Andorraner: aber

keine Titel! – dann, sage ich, fliegt er selbst die Treppe hinunter, und zwar persönlich, nicht bloß sein Hut. *Zur Mutter:* Ich fürchte sie nicht! *Zu Andri:* Und du, verstanden, du sollst sie auch nicht fürchten. Wenn wir zusammenhalten, du und ich, wie zwei Männer, Andri, wie Freunde, wie Vater und Sohn – oder habe ich dich nicht behandelt wie meinen Sohn? Hab ich dich je zurückgesetzt? Dann sag es mir ins Gesicht. Hab ich dich anders gehalten, Andri, als meine Tochter? Sag es mir ins Gesicht. Ich warte.

ANDRI Was, Vater, soll ich sagen?

LEHRER Ich kann's nicht leiden, wenn du dastehst wie ein Meßknabe, der gestohlen hat oder was weiß ich, so artig, weil du mich fürchtest. Manchmal platzt mir der Kragen, ich weiß, ich bin ungerecht. Ich hab's nicht gezählt und gebucht, was mir als Erzieher unterlaufen ist.

MUTTER *deckt den Tisch.*

LEHRER Hat Mutter dich herzlos behandelt?

MUTTER Was hälst du denn für Reden! Man könnte meinen, du redest vor einem Publikum.

LEHRER Ich rede mit Andri.

MUTTER Also.

LEHRER Von Mann zu Mann.

MUTTER Man kann essen.

Die Mutter geht hinaus.

LEHRER Das ist eigentlich alles, was ich dir sagen wollte.

BARBLIN *deckt den Tisch fertig.*

LEHRER Warum, wenn er draußen so ein großes Tier ist, bleibt er nicht draußen, dieser Professor, der's auf allen Universitäten der Welt nicht einmal zum Doktor gebracht hat? Dieser Patriot, der unser Amtsarzt geworden ist, weil er keinen Satz bilden kann ohne Heimat und Andorra. Wer denn soll schuld daran sein, daß aus seinem Ehrgeiz nichts geworden ist, wer denn, wenn nicht der Jud? – Also ich will dieses Wort nicht mehr hören.

MUTTER *bringt die Suppe.*

LEHRER Auch du, Andri, sollst dieses Wort nicht in den Mund nehmen. Verstanden? Ich duld es nicht. ⌜Sie wissen ja nicht, was sie reden⌝, und ich will nicht, daß du am Ende noch glaubst, was sie reden. Denk dir, es ist nichts dran. Ein für allemal. Verstanden? Ein für allemal.

MUTTER Bist du fertig?

LEHRER 's ist auch nichts dran.

MUTTER Dann schneid uns das Brot.

LEHRER *schneidet das Brot.*

ANDRI Ich wollte etwas andres fragen . . .

MUTTER *schöpft die Suppe.*

ANDRI Vielleicht wißt Ihr es aber schon. Nichts ist geschehn, Ihr braucht nicht immer zu erschrecken. Ich weiß nicht, wie man so etwas sagt: – Ich werde einundzwanzig, und Barblin ist neunzehn . . .

LEHRER Und?

ANDRI Wir möchten heiraten.

LEHRER *läßt das Brot fallen.*

ANDRI Ja. Ich bin gekommen, um zu fragen – ich wollte es tun, wenn ich die Tischlerprobe bestanden habe, aber daraus wird ja nichts – Wir wollen uns jetzt verloben, damit die andern es wissen und der Barblin nicht überall nachlaufen.

LEHRER – – – heiraten?

ANDRI Ich bitte dich, Vater, um die Hand deiner Tochter.

LEHRER *erhebt sich wie ein Verurteilter.*

MUTTER Ich hab das kommen sehn, Can.

LEHRER Schweig!

MUTTER Deswegen brauchst du das Brot nicht fallen zu lassen.

Die Mutter nimmt das Brot vom Boden.

Sie lieben einander.

LEHRER Schweig!

Schweigen

ANDRI Es ist aber so, Vater, wir lieben einander. Davon zu
reden ist schwierig. Seit der grünen Kammer, als wir
Kinder waren, reden wir vom Heiraten. In der Schule
schämten wir uns, weil alle uns auslachten: Das geht ja
nicht, sagten sie, weil wir Bruder und Schwester sind! 5
Einmal wollten wir uns vergiften, weil wir Bruder und
Schwester sind, mit Tollkirschen, aber es war Winter, es
gab keine Tollkirschen. Und wir haben geweint, bis
Mutter es gemerkt hat – bis du gekommen bist, Mutter,
du hast uns getröstet und gesagt, daß wir gar nicht Bru- 10
der und Schwester sind. Und diese ganze Geschichte,
wie Vater mich über die Grenze gerettet hat, weil ich Jud
bin. Da war ich froh drum und sagte es ihnen in der
Schule und überall. Seither schlafen wir nicht mehr in
der gleichen Kammer, wir sind ja keine Kinder mehr. 15
Der Lehrer schweigt wie versteinert.
Es ist Zeit, Vater, daß wir heiraten.
LEHRER Andri, das geht nicht.
MUTTER Wieso nicht?
LEHRER Weil es nicht geht! 20
MUTTER Schrei nicht.
LEHRER Nein – Nein – Nein . . .
BARBLIN *bricht in Schluchzen aus.*
MUTTER Und du heul nicht gleich!
BARBLIN Dann bring ich mich um. 25
MUTTER Und red keinen Unfug!
BARBLIN Oder ich geh zu den Soldaten, jawohl.
MUTTER Dann straf dich Gott!
BARBLIN Soll er.
ANDRI Barblin? 30
BARBLIN *läuft hinaus.*
LEHRER Sie ist ein Huhn. Laß sie! Du findest noch Mäd-
chen genug.
Andri reißt sich von ihm los.
Andri –! 35

ANDRI Sie ist wahnsinnig.

LEHRER Du bleibst.

Andri bleibt.

Es ist das erste Nein, Andri, das ich dir sagen muß.

Der Lehrer hält sich beide Hände vors Gesicht.

Nein!

MUTTER Ich versteh dich nicht, Can, ich versteh dich nicht. Bist du eifersüchtig? Barblin ist neunzehn, und einer wird kommen. Warum nicht Andri, wo wir ihn kennen? Das ist der Lauf der Welt. Was starrst du vor dich hin und schüttelst den Kopf, wo's ein großes Glück ist, und willst deine Tochter nicht geben? Du schweigst. Willst du sie heiraten? Du schweigst in dich hinein, weil du eifersüchtig bist, Can, auf die Jungen und auf das Leben überhaupt und daß es jetzt weitergeht ohne dich.

LEHRER Was weißt denn du!

MUTTER Ich frag ja nur.

LEHRER Barblin ist ein Kind –

MUTTER Das sagen alle Väter. Ein Kind! – für dich, Can, aber nicht für den Andri.

LEHRER *schweigt.*

MUTTER Warum sagst du nein?

LEHRER *schweigt.*

ANDRI Weil ich Jud bin.

LEHRER Andri –

ANDRI So sagt es doch.

LEHRER Jud! Jud!

ANDRI Das ist es doch.

LEHRER Jud! Jedes dritte Wort, kein Tag vergeht, jedes zweite Wort, kein Tag ohne Jud, keine Nacht ohne Jud, ich höre Jud, wenn einer schnarcht, Jud, Jud, kein Witz ohne Jud, kein Geschäft ohne Jud, kein Fluch ohne Jud, ich höre Jud, wo keiner ist, Jud und Jud und nochmals Jud, die Kinder spielen Jud, wenn ich den Rücken drehe, jeder plappert's nach, die Pferde wiehern in den Gassen: Juuuud, Juud, Jud . . .

MUTTER Du übertreibst.

LEHRER Gibt es denn keine andern Gründe mehr?!

MUTTER Dann sag sie.

LEHRER *schweigt, dann nimmt er seinen Hut.*

MUTTER Wohin?

LEHRER Wo ich meine Ruh hab.

Er geht und knallt die Tür zu.

MUTTER Jetzt trinkt er wieder bis Mitternacht.

Andri geht langsam nach der andern Seite.

MUTTER Andri? – Jetzt sind alle auseinander.

Fünftes Bild

Platz von Andorra, der Lehrer sitzt allein vor der Pinte,
der Wirt bringt den bestellten Schnaps, den der Lehrer
noch nicht nimmt.

WIRT Was gibt's Neues?

LEHRER Noch ein Schnaps. *Der Wirt geht.*

LEHRER »Weil ich Jud bin!« *Jetzt kippt er den Schnaps.*
Einmal werd ich die Wahrheit sagen – das meint man,
aber die Lüge ist ein Egel*, sie hat die Wahrheit ausge-
saugt. Das wächst. Ich werd's nimmer los. Das wächst
und hat Blut. Das sieht mich an wie ein Sohn, ein leib-
haftiger Jud, mein Sohn . . . »Was gibt's Neues?« – ich
habe gelogen, und ihr habt ihn gestreichelt, solang er
klein war, und jetzt ist er ein Mann, jetzt will er heiraten,
ja, seine Schwester – Das gibt's Neues! . . . ich weiß, was
ihr denkt, im voraus: Auch einem Judenretter ist das
eigne Kind zu schad für den Jud! Ich sehe euer Grinsen
schon.

> blutsaugen-
> des, wurm-
> ähnliches
> Lebewesen

extalisieren

Auftritt der Jemand und setzt sich zum Lehrer.

JEMAND Was gibt's Neues?

LEHRER *schweigt.*

JEMAND *nimmt seine Zeitung vor.*

LEHRER Warum grinsen Sie?

JEMAND Sie drohen wieder.

LEHRER Wer?

JEMAND Die da drüben.

Der Lehrer erhebt sich, der Wirt kommt heraus.

WIRT Wohin?

LEHRER Wo ich meine Ruhe hab.

Der Lehrer geht in die Pinte hinein.

JEMAND Was hat er denn? Wenn der so weitermacht, der
nimmt kein gutes Ende, möchte ich meinen . . . Mir ein
Bier.

Der Wirt geht.
Seit der Junge nicht mehr da ist, wenigstens kann man seine Zeitung lesen: ohne das Orchestrion, wo er alleweil sein Trinkgeld verklimpert hat . . .

Sechstes Bild

Vor der Kammer der Barblin. Andri schläft allein auf der
Schwelle. Kerzenlicht. Es erscheint ein großer Schatten
an der Wand, der Soldat. Andri schnarcht. Der Soldat
erschrickt und zögert. Stundenschlag einer Turmuhr,
der Soldat sieht, daß Andri sich nicht rührt, und wagt
sich bis zur Türe, zögert wieder, öffnet die Türe, Stun-
denschlag einer andern Turmuhr, jetzt steigt er über den
schlafenden Andri hinweg und dann, da er schon soweit
ist, hinein in die finstere Kammer. Barblin will schreien,
aber der Mund wird ihr zugehalten. Stille. Andri er-
wacht.

ANDRI Barblin!? ...
Stille
Jetzt ist es wieder still draußen, sie haben mit Saufen und
Grölen aufgehört, jetzt sind alle im Bett.
Stille
Schläfst du, Barblin? Wie spät kann es sein? Ich hab
geschlafen. Vier Uhr? Die Nacht ist wie Milch, du, wie
blaue Milch. Bald fangen die Vögel an. Wie eine Sintflut
von Milch . . . *Geräusch*
Warum riegelst du die Tür?
Stille
Soll er doch heraufkommen, dein Alter, soll er mich auf
der Schwelle seiner Tochter finden. Meinetwegen! Ich
geb's nicht auf, Barblin, ich werd auf deiner Schwelle
sitzen jede Nacht, und wenn er sich zu Tod säuft dar-
über, jede Nacht.
Er nimmt sich eine Zigarette.
Jetzt bin ich wieder so wach . . . *Er sitzt und raucht.*
Ich schleiche nicht länger herum wie ein bettelnder
Hund. Ich hasse. Ich weine nicht mehr. Ich lache. Je

gemeiner sie sind wider mich, um so wohler fühle ich mich in meinem Haß. Und um so sichrer. Haß macht Pläne. Ich freue mich jetzt von Tag zu Tag, weil ich einen Plan habe, und niemand weiß davon, und wenn ich verschüchtert gehe, so tu ich nur so. Haß macht listig. Haß macht stolz. Eines Tags werde ich's ihnen zeigen. Seit ich sie hasse, manchmal möcht ich pfeifen und singen, aber ich tu's nicht. Haß macht geduldig. Und hart. Ich hasse ihr Land, was wir verlassen werden, und ihre Gesichter alle. Ich liebe einen einzigen Menschen, und das ist genug.

Er horcht.

Die Katze ist auch noch wach!

Er zählt die Münzen.

Heut habe ich anderthalb Pfund verdient, Barblin, anderthalb Pfund an einem einzigen Tag. Ich spare jetzt. Ich geh auch nicht mehr an die Klimperkiste –

Er lacht.

Wenn sie sehen könnten, wie sie recht haben: alleweil zähl ich mein Geld!

Er horcht.

Da schlurft noch einer nach Haus.

Vogelzwitschern.

Gestern hab ich diesen Peider gesehen, weißt du, der ein Aug hat auf dich, der mir das Bein gestellt hat, jetzt grinst er jedesmal, wenn er mich sieht, aber es macht mir nichts aus –

Er horcht.

Er kommt herauf!

Tritte im Haus.

Jetzt haben wir schon einundvierzig Pfund, Barblin, aber sag's niemand. Wir werden heiraten. Glaub mir, es gibt eine andre Welt, wo niemand uns kennt und wo man mir kein Bein stellt, und wir werden dahin fahren, Barblin, dann kann er hier schreien, soviel er will.

Er raucht.
Es ist gut, daß du geriegelt hast.
Auftritt der Lehrer.
LEHRER Mein Sohn!
ANDRI Ich bin nicht dein Sohn.
LEHRER Ich bin gekommen, Andri, um dir die Wahrheit zu
sagen, bevor es wieder Morgen ist . . .
ANDRI Du hast getrunken.
LEHRER Deinetwegen, Andri, deinetwegen.
Andri lacht.
Mein Sohn –
ANDRI Laß das!
LEHRER Hörst du mich an?
ANDRI Halt dich an einem Laternenpfahl, aber nicht an
mir, ich rieche dich.
Andri macht sich los.
Und sag nicht immer: Mein Sohn! wenn du blau bist.
LEHRER *wankt.*
ANDRI Deine Tochter hat geriegelt, sei beruhigt.
LEHRER Andri –
ANDRI Du kannst nicht mehr stehen.
LEHRER Ich bin bekümmert . . .
ANDRI Das ist nicht nötig.
LEHRER Sehr bekümmert . . .
ANDRI Mutter weint und wartet auf dich.
LEHRER Damit habe ich nicht gerechnet . . .
ANDRI Womit hast du nicht gerechnet?
LEHRER Daß du nicht mein Sohn sein willst.
Andri lacht.
Ich muß mich setzen . . .
ANDRI Dann gehe ich.
LEHRER Also du willst mich nicht anhören?
ANDRI *nimmt die Kerze.*
LEHRER Dann halt nicht.
ANDRI Ich verdanke dir mein Leben. Ich weiß. Wenn du

Wert drauf legst, ich kann es jeden Tag einmal sagen: Ich
verdanke dir mein Leben. Sogar zweimal am Tag: Ich
verdanke dir mein Leben. Einmal am Morgen, einmal
am Abend: Ich verdanke dir mein Leben, ich verdanke
dir mein Leben.   5

LEHRER Ich hab getrunken, Andri, die ganze Nacht, um
dir die Wahrheit zu sagen – ich hab zuviel getrunken . . .

ANDRI Das scheint mir auch.

LEHRER Du verdankst mir dein Leben . . .

ANDRI Ich verdanke es.   10

LEHRER Du verstehst mich nicht . . .

ANDRI *schweigt.*

LEHRER Steh nicht so da! – wenn ich dir mein Leben er-
zähle . . .

Hähne krähen.   15

Also mein Leben interessiert dich nicht?

ANDRI Mich interessiert mein eignes Leben.

Hähne krähen.

⌐Jetzt krähen schon die Hähne.⌐

LEHRER *wankt.*   20

ANDRI Tu nicht, als ob du noch denken könntest.

LEHRER Du verachtest mich . . .

ANDRI Ich schau dich an. Das ist alles. Ich habe dich ver-
ehrt. Nicht weil du mein Leben gerettet hast, sondern
weil ich glaubte, du bist nicht wie alle, du denkst nicht   25
ihre Gedanken, du hast Mut. Ich hab mich verlassen auf
dich. Und dann hat es sich gezeigt, und jetzt schau ich
dich an.

LEHRER Was hat sich gezeigt? . . .

ANDRI *schweigt.*   30

LEHRER Ich denke nicht ihre Gedanken, Andri, ich hab
ihnen die Schulbücher zerrissen, ich wollte andre haben –

ANDRI Das ist bekannt.

LEHRER Weißt du, was ich getan habe?

ANDRI Ich geh jetzt.   35

LEHRER Ob du weißt, was ich getan habe . . .

ANDRI Du hast ihnen die Schulbücher zerrissen.

LEHRER – ich hab gelogen.

Pause

5 Du willst mich nicht verstehn . . .

Hähne krähen.

ANDRI Um sieben muß ich im Laden sein, Stühle verkaufen, Tische verkaufen, Schränke verkaufen, meine Hände reiben.

10 LEHRER Warum mußt du deine Hände reiben?

ANDRI »Kann man finden einen bessern Stuhl? Wackelt
das? Ächzt das? Kann man finden einen billigeren
Stuhl?«

Der Lehrer starrt ihn an.

15 Ich muß reich werden.

LEHRER Warum mußt du reich werden?

ANDRI Weil ich Jud bin.

LEHRER Mein Sohn –!

ANDRI Faß mich nicht wieder an!

20 LEHRER *wankt.*

ANDRI Du ekelst mich.

LEHRER Andri –

ANDRI Heul nicht.

LEHRER Andri –

25 ANDRI Geh pissen.

LEHRER Was sagst du?

ANDRI Heul nicht den Schnaps aus den Augen; wenn du
ihn nicht halten kannst, sag ich, geh.

LEHRER Du hassest mich?

30 *Andri schweigt.*

Der Lehrer geht.

ANDRI Barblin, er ist gegangen. Ich hab ihn nicht kränken
wollen. Aber es wird immer ärger. Hast du ihn gehört?
Er weiß nicht mehr, was er redet, und dann sieht er aus

35 wie einer, der weint . . . Schläfst du?

Er horcht an der Türe.
Barblin! Barblin?
*Er rüttelt an der Türe, dann versucht er die Türe zu
sprengen, er nimmt einen neuen Anlauf, aber in diesem
Augenblick öffnet sich die Türe von innen: im Rahmen* 5
*steht der Soldat, beschienen von der Kerze, barfuß, Ho-
sen mit offenem Gurt, Oberkörper nackt.*
Barblin . . .
SOLDAT Verschwinde.
ANDRI Das ist nicht wahr . . . 10
SOLDAT Verschwinde, du, oder ich mach dich zur Sau.

Vordergrund

Der Soldat, jetzt in Zivil, tritt an die Zeugenschranke.

SOLDAT Ich gebe zu: Ich hab ihn nicht leiden können. Ich
habe ja nicht gewußt, daß er keiner ist, immer hat's geheißen, er sei einer. Übrigens glaub ich noch heut, daß er
einer gewesen ist. Ich hab ihn nicht leiden können von
Anfang an. Aber ich hab ihn nicht getötet. Ich habe nur
meinen Dienst getan. Order ist Order.* Wo kämen wir
hin, wenn Befehle nicht ausgeführt werden! Ich war
Soldat.

Abwandlung
der bekannten
»Soldaten-
weisheit«:
»Befehl ist
Befehl.«

Siebentes Bild

Sakristei, der Pater und Andri.

PATER Andri, wir wollen sprechen miteinander. Deine Pflegemutter wünscht es. Sie macht sich große Sorge um dich . . .
Nimm Platz!

ANDRI *schweigt.*

PATER Nimm Platz, Andri!

ANDRI *schweigt.*

PATER Du willst dich nicht setzen?

ANDRI *schweigt.*

PATER Ich verstehe, du bist zum ersten Mal hier. Sozusagen. Ich erinnere mich: Einmal als euer Fußball hereingeflogen ist, sie haben dich geschickt, um ihn hinter dem Altar zu holen.

Der Pater lacht.

ANDRI Wovon, Hochwürden, sollen wir sprechen?

PATER Nimm Platz!

ANDRI *schweigt.*

PATER Also du willst dich nicht setzen.

ANDRI *schweigt.*

PATER Nun gut.

ANDRI Stimmt das, Hochwürden, daß ich anders bin als alle?

Pause.

PATER Andri, ich will dir etwas sagen.

ANDRI – ich bin vorlaut, ich weiß.

PATER Ich verstehe deine Not. Aber du sollst wissen, daß wir dich gern haben, Andri, so wie du bist. Hat dein Pflegevater nicht alles getan für dich? Ich höre, er hat Land verkauft, damit du Tischler wirst.

ANDRI Ich werde aber nicht Tischler.

PATER Wieso nicht?

ANDRI Meinesgleichen denkt alleweil nur ans Geld, heißt
es, und drum gehöre ich nicht in die Werkstatt, sagt der
Tischler, sondern in den Verkauf. Ich werde Verkäufer,
Hochwürden.

PATER Nun gut.

ANDRI Ich wollte aber Tischler werden.

PATER Warum setzest du dich nicht?

ANDRI Hochwürden irren sich, glaub ich. Niemand mag
mich. Der Wirt sagt, ich bin vorlaut, und der Tischler
findet das auch, glaub ich. Und der Doktor sagt, ich bin
ehrgeizig, und meinesgleichen hat kein Gemüt.

PATER Setz dich!

ANDRI Stimmt das, Hochwürden, daß ich kein Gemüt
habe?

PATER Mag sein, Andri, du hast etwas Gehetztes.

ANDRI Und Peider sagt, ich bin feig.

PATER Wieso feig?

ANDRI Weil ich ein Jud bin.

PATER Was kümmerst du dich um Peider!

ANDRI *schweigt.*

PATER Andri, ich will dir etwas sagen.

ANDRI Man soll nicht immer an sich selbst denken, ich
weiß. Aber ich kann nicht anders, Hochwürden, es ist
so. Immer muß ich denken, ob's wahr ist, was die andern von mir sagen: daß ich nicht bin wie sie, nicht fröhlich, nicht gemütlich, nicht einfach so. Und Hochwürden finden ja auch, ich hab etwas Gehetztes. Ich versteh
schon, daß niemand mich mag. Ich mag mich selbst
nicht, wenn ich an mich selbst denke.

Der Pater erhebt sich.

Kann ich jetzt gehn?

PATER Jetzt hör mich einmal an!

ANDRI Was, Hochwürden, will man von mir?

PATER Warum so mißtrauisch?

ANDRI Alle legen ihre Hände auf meine Schulter.

PATER Weißt du, Andri, was du bist? *Der Pater lacht.*
Du weißt es nicht, drum sag ich es dir. *Andri starrt ihn
an.*
Ein Prachtskerl! In deiner Art. Ein Prachtskerl! Ich habe   5
dich beobachtet, Andri, seit Jahr und Tag –

ANDRI Beobachtet?

PATER Freilich.

ANDRI Warum beobachtet ihr mich alle?

PATER Du gefällst mir, Andri, mehr als alle andern, ja,   10
grad weil du anders bist als alle. Was schüttelst du den
Kopf? Du bist gescheiter als sie. Jawohl! Das gefällt mir
an dir, Andri, und ich bin froh, daß du gekommen bist
und daß ich es dir einmal sagen kann.

ANDRI Das ist nicht wahr.   15

PATER Was ist nicht wahr?

ANDRI Ich bin nicht anders. Ich will nicht anders sein. Und
wenn er dreimal so kräftig ist wie ich, dieser Peider, ich
hau ihn zusammen vor allen Leuten auf dem Platz, das
hab ich mir geschworen –   20

PATER Meinetwegen.

ANDRI Das hab ich mir geschworen –

PATER Ich mag ihn auch nicht.

ANDRI Ich will mich nicht beliebt machen. Ich werde mich
wehren. Ich bin nicht feig – und nicht gescheiter als die   25
andern, Hochwürden, ich will nicht, daß Hochwürden
das sagen.

PATER Hörst du mich jetzt an?

ANDRI Nein.
Andri entzieht sich.   30
Ich mag nicht immer eure Hände auf meinen Schul-
tern . . .
Pause

PATER Du machst es einem wirklich nicht leicht.
Pause   35

Kurz und gut, deine Pflegemutter war hier. Mehr als vier Stunden. Die gute Frau ist ganz unglücklich. Du kommst nicht mehr zu Tisch, sagt sie, und bist verstockt. Sie sagt, du glaubst nicht, daß man dein Bestes will.

ANDRI Alle wollen mein Bestes!

PATER Warum lachst du?

ANDRI Wenn er mein Bestes will, warum, Hochwürden, warum will er mir alles geben, aber nicht seine eigene Tochter?

PATER Es ist sein väterliches Recht –

ANDRI Warum aber? Warum? Weil ich Jud bin.

PATER Schrei nicht!

ANDRI *schweigt.*

PATER Kannst du nichts andres mehr denken in deinem Kopf? Ich habe dir gesagt, Andri, als Christ, daß ich dich liebe – aber eine Unart, das muß ich leider schon sagen, habt ihr alle: Was immer euch widerfährt in diesem Leben, alles und jedes bezieht ihr nur darauf, daß ihr Jud seid. Ihr macht es einem wirklich nicht leicht mit eurer Überempfindlichkeit.

ANDRI *schweigt und wendet sich ab.*

PATER Du weinst ja.

ANDRI *schluchzt, Zusammenbruch.*

PATER Was ist geschehen? Antworte mir. Was ist denn los? Ich frage dich, was geschehen ist, Andri! So rede doch. Andri? Du schlotterst ja. Was ist mit Barblin? Du hast ja den Verstand verloren. Wie soll ich helfen, wenn du nicht redest. So nimm dich doch zusammen. Andri! Hörst du? Andri! Du bist doch ein Mann. Du! Also ich weiß nicht.

ANDRI – meine Barblin.

Andri läßt die Hände von seinem Gesicht fallen und starrt vor sich hin.

Sie kann mich nicht lieben, niemand kann's, ich selbst kann mich nicht lieben . . .

Eintritt ein Kirchendiener mit einem Meßgewand.
Kann ich jetzt gehn?
Der Kirchendiener knöpft den Pater auf.
PATER Du kannst trotzdem bleiben.
Der Kirchendiener kleidet den Pater zur Messe.
Du sagst es selbst. Wie sollen die andern uns lieben kön-
nen, wenn wir uns selbst nicht lieben? Unser Herr sagt:
Liebe deinen Nächsten wie dich selbst. Er sagt: Wie dich
selbst. Wir müssen uns selbst annehmen, und das ist es,
Andri, was du nicht tust. Warum willst du sein wie die
andern? Du bist gescheiter als sie, glaub mir, du bist
wacher. Wieso willst du's nicht wahrhaben? 's ist ein
Funke in dir. Warum spielst du Fußball wie diese Blö-
diane alle und brüllst auf der Wiese herum, bloß um ein
Andorraner zu sein? Sie mögen dich alle nicht, ich weiß.
Ich weiß auch warum. 's ist ein Funke in dir. Du denkst.
Warum soll's nicht auch Geschöpfe geben, die mehr
Verstand haben als Gefühl? Ich sage: Gerade dafür be-
wundere ich euch. Was siehst du mich so an? 's ist ein
Funke in euch. Denk an ⌜Einstein⌝! Und wie sie alle heißen. ⌜Spinoza⌝!
ANDRI Kann ich jetzt gehn?
PATER Kein Mensch, Andri, kann aus seiner Haut heraus,
kein Jud und kein Christ. Niemand. Gott will, daß wir
sind, wie er uns geschaffen hat. Verstehst du mich? Und
wenn sie sagen, der Jud ist feig, dann wisse: Du bist nicht
feig, Andri, wenn du es annimmst, ein Jud zu sein. Im
Gegenteil. Du bist nun einmal anders als wir. Hörst du
mich? Ich sage: Du bist nicht feig. Bloß wenn du sein
willst wie die Andorraner alle, dann bist du feig ...
Eine Orgel setzt ein.
ANDRI Kann ich jetzt gehn?
PATER Denk darüber nach, Andri, was du selbst gesagt
hast: Wie sollen die andern dich annehmen, wenn du
dich selbst nicht annimmst?

ANDRI Kann ich jetzt gehn . . .
PATER Andri, hast du mich verstanden?

Vordergrund

Der Pater kniet.

PATER ⌜Du sollst dir kein Bildnis machen⌝ von Gott, deinem Herrn, und nicht von den Menschen, die seine Geschöpfe sind. Auch ich bin schuldig geworden damals. 5
Ich wollte ihm mit Liebe begegnen, als ich gesprochen
habe mit ihm. Auch ich habe mir ein Bildnis gemacht
von ihm, auch ich habe ihn gefesselt, auch ich habe ihn
an den Pfahl gebracht.

Achtes Bild

Platz von Andorra. Der Doktor sitzt als einziger; die
andern stehen: der Wirt, der Tischler, der Soldat, der
Geselle, der Jemand, der eine Zeitung liest.

DOKTOR Ich sage: Beruhigt euch!

SOLDAT Wieso kann Andorra nicht überfallen werden?

DOKTOR *zündet sich einen Zigarillo an.*

SOLDAT Ich sage: Pfui Teufel!

WIRT Soll ich vielleicht sagen, es gibt in Andorra kein anständiges Zimmer? Ich bin Gastwirt. Man kann eine
Fremdlingin nicht von der Schwelle weisen –

JEMAND *lacht, die Zeitung lesend.*

WIRT Was bleibt mir andres übrig? Da steht eine Senora
und fragt, ob es ein anständiges Zimmer gibt –

SOLDAT Eine Senora, ihr hört's!

TISCHLER Eine von drüben?

SOLDAT Unsereiner kämpft, wenn's losgeht, bis zum letzten Mann, und der bewirtet sie!
Er spuckt aufs Pflaster. Ich sage: Pfui Teufel!

DOKTOR Nur keine Aufregung.
Er raucht.
Ich bin weit in der Welt herumgekommen, das könnt ihr
mir glauben. Ich bin Andorraner, das ist bekannt, mit
Leib und Seele. Sonst wäre ich nicht in die Heimat zu-
rückgekehrt, ihr guten Leute, sonst hätte euer Professor
nicht verzichtet auf alle Lehrstühle der Welt –

JEMAND *lacht, die Zeitung lesend.*

WIRT Was gibt's da zu lachen?

JEMAND Wer kämpft bis zum letzten Mann?

SOLDAT Ich.

JEMAND In der Bibel heißt's, ⌈die Letzten werden die Ersten sein⌉, oder umgekehrt, ich weiß nicht, die Ersten
werden die Letzten sein.

SOLDAT Was will er damit sagen?

JEMAND Ich frag ja bloß.

SOLDAT Bis zum letzten Mann, das ist Order. Lieber tot als untertan, das steht in jeder Kaserne. Das ist Order. Sollen sie kommen, sie werden ihr blaues Wunder erleben . . .

Kleines Schweigen

TISCHLER Wieso kann Andorra nicht überfallen werden?

DOKTOR Die Lage ist gespannt, ich weiß.

TISCHLER Gespannt wie noch nie.

DOKTOR Das ist sie schon seit Jahren.

TISCHLER Wozu haben sie Truppen an der Grenze?

DOKTOR Was ich habe sagen wollen: Ich bin weit in der Welt herumgekommen. Eins könnt ihr mir glauben: In der ganzen Welt gibt es kein Volk, das in der ganzen Welt so beliebt ist wie wir. Das ist eine Tatsache.

TISCHLER Schon.

DOKTOR Fassen wir einmal diese Tatsache ins Auge, fragen wir uns: Was kann einem Land wie Andorra widerfahren? Einmal ganz sachlich.

WIRT Das stimmt, das stimmt.

SOLDAT Was stimmt?

WIRT Kein Volk ist so beliebt wie wir.

TISCHLER Schon.

DOKTOR Beliebt ist kein Ausdruck. Ich habe Leute getroffen, die keine Ahnung haben, wo Andorra liegt, aber jedes Kind in der Welt weiß, daß Andorra ein Hort ist, ein Hort des Friedens und der Freiheit und der Menschenrechte.

WIRT Sehr richtig.

DOKTOR Andorra ist ein Begriff, geradezu ein Inbegriff, wenn ihr begreift, was das heißt. *Er raucht.*
⌜Ich sage: sie werden's nicht wagen.⌝

SOLDAT Wieso nicht, wieso nicht?

WIRT Weil wir ein Inbegriff sind.

SOLDAT Aber die haben die Übermacht!

WIRT Weil wir so beliebt sind.

Der Idiot bringt einen Damenkoffer und stellt ihn hin.

SOLDAT Da: – bitte!

5 *Der Idiot geht wieder.*

TISCHLER Was will die hier?

GESELLE Eine Spitzelin!

SOLDAT Was sonst?

GESELLE Eine Spitzelin!

10 SOLDAT Und der bewirtet sie!

JEMAND *lacht*

SOLDAT Grinsen Sie nicht immer so blöd.

JEMAND Spitzelin ist gut.

SOLDAT Was sonst soll die sein?

15 JEMAND Es heißt nicht Spitzelin, sondern Spitzel, auch
wenn die Lage gespannt ist und wenn es sich um eine
weibliche Person handelt.

TISCHLER Ich frag mich wirklich, was die hier sucht.

Der Idiot bringt einen zweiten Damenkoffer.

20 SOLDAT Bitte! Bitte!

GESELLE Stampft ihr doch das Zeug zusammen!

WIRT Das fehlte noch.

Der Idiot geht wieder.

WIRT Statt daß er das Gepäck hinaufbringt, dieser Idiot,
25 läuft er wieder davon, und ich hab das Aufsehen von
allen Leuten –

JEMAND *lacht.*

WIRT Ich bin kein Verräter. Nicht wahr, Professor, nicht
wahr? Das ist nicht wahr. Ich bin Wirt. ⌐Ich wäre der
30 erste, der einen Stein wirft.⌐ Jawohl! Noch gibt's ein
Gastrecht in Andorra, ein altes und heiliges Gastrecht.
Nicht wahr, Professor, nicht wahr? ⌐Ein Wirt kann nicht
Nein sagen⌐, und wenn die Lage noch so gespannt ist,
und schon gar nicht, wenn es eine Dame ist.

35 JEMAND *lacht.*

Geld

GESELLE Und wenn sie Klotz* hat!

JEMAND *lacht.*

WIRT Die Lage ist nicht zum Lachen, Herr.

JEMAND Spitzelin.

WIRT Laßt ihr Gepäck in Ruh!   5

JEMAND Spitzelin ist sehr gut.

Der Idiot bringt einen Damenmantel und legt ihn hin.

SOLDAT Da: – bitte. *Der Idiot geht wieder.*

TISCHLER Wieso meinen Sie, Andorra kann nicht über-
fallen werden?   10

DOKTOR Man hört mir ja nicht zu.

Er raucht.

Ich dachte, man hört mir zu.

Er raucht.

Sie werden es nicht wagen, sage ich. Und wenn sie noch   15
soviel Panzer haben und Fallschirme obendrein, das
können die sich gar nicht leisten. Oder wie Perin, unser
Erfindung
Frischs
großer Dichter*, einmal gesagt hat: ⌜Unsere Waffe ist
unsere Unschuld.⌝ Oder umgekehrt: Unsere Unschuld ist
unsere Waffe. Wo in der Welt gibt es noch eine Republik, 20
die das sagen kann? Ich frage: Wo? Ein Volk wie wir, das
sich aufs Weltgewissen berufen kann wie kein anderes,
ein Volk ohne Schuld –

Andri erscheint im Hintergrund.

SOLDAT Wie der wieder herumschleicht!   25

Andri verzieht sich, da alle ihn anblicken.

DOKTOR Andorraner, ich will euch etwas sagen. Noch
kein Volk der Welt ist überfallen worden, ohne daß man
ihm ein Vergehen hat vorwerfen können. Was sollen sie
uns vorwerfen? Das Einzige, was Andorra widerfahren   30
könnte, wäre ein Unrecht, ein krasses und offenes Unrecht. Und das werden sie nicht wagen. Morgen sowenig
wie gestern. Weil die ganze Welt uns verteidigen würde.
Schlagartig. Weil das ganze Weltgewissen auf unsrer
Seite ist.   35

JEMAND *lacht, steckt die Zeitung ein.*

DOKTOR Wer sind Sie eigentlich?

JEMAND Ein fröhlicher Charakter.

DOKTOR Ihr Humor ist hier nicht am Platz.

5 GESELLE *tritt gegen die Koffer.*

WIRT Halt!

DOKTOR Was soll das?

WIRT Um Gotteswillen!

JEMAND *lacht.*

10 DOKTOR Unsinn. Darauf warten sie ja bloß. Belästigung
von Reisenden in Andorra! Damit sie einen Vorwand
haben gegen uns. So ein Unsinn! Wo ich euch sage: Beruhigt euch! Wie liefern ihnen keinen Vorwand – Spitzel
hin oder her.

15 WIRT *stellt die Koffer wieder zurecht.*

SOLDAT Ich sage: Pfui Teufel!

WIRT *wischt die Koffer wieder sauber.*

DOKTOR Ein Glück, daß es niemand gesehen hat . . .
Auftritt die Senora. Stille. Die Senora setzt sich an ein
20 *freies Tischlein. Die Andorraner mustern sie, während*
sie langsam ihre Handschuhe abstreift.

DOKTOR Ich zahle.

TISCHLER Ich auch.
Der Doktor erhebt sich und entfernt sich, indem er vor
25 *der Senora den Hut lüftet; der Tischler gibt dem Gesel-*
len einen Wink, daß er ihm ebenfalls folge.

SENORA Ist hier etwas vorgefallen?

JEMAND *lacht.*

SENORA Kann ich etwas trinken?

30 WIRT Mit Vergnügen, Senora –

SENORA Was trinkt man hierzulande?

WIRT Mit Vergnügen, Senora –

SENORA Am liebsten ein Glas frisches Wasser.

WIRT Senora, wir haben alles.

35 JEMAND *lacht.*

WIRT Der Herr hat einen fröhlichen Charakter.

JEMAND *geht.*

SENORA Das Zimmer, Herr Wirt, ist ordentlich, sehr ordentlich.

WIRT *verneigt sich und geht.*

SOLDAT Und mir einen Korn!

> *Der Soldat bleibt und setzt sich, um die Senora zu begaffen. Im Vordergrund rechts, am Orchestrion, erscheint Andri und wirft eine Münze ein.*

WIRT Immer diese Klimperkiste!

ANDRI Ich zahle.

WIRT Hast du nichts andres im Kopf?

ANDRI Nein.

> *Während die immergleiche Platte spielt: Die Senora schreibt einen Zettel, der Soldat gafft, sie faltet den Zettel und spricht zum Soldaten, ohne ihn anzublicken.*

SENORA Gibt es in Andorra keine Frauen?

> *Der Idiot kommt zurück.*

Du kennst einen Lehrer namens Can?

> *Der Idiot grinst und nickt.*

Bringe ihm diesen Zettel.

> *Auftreten drei andere Soldaten und der Geselle.*

SOLDAT Habt ihr das gehört? Ob's in Andorra keine Weiber gibt, fragt sie.

GESELLE Was hast du gesagt?

SOLDAT – nein, aber Männer!

GESELLE Hast du gesagt?

SOLDAT – ob sie vielleicht nach Andorra kommt, weil's drüben keine Männer gibt.

GESELLE Hast du gesagt?

SOLDAT Hab ich gesagt.

> *Sie grinsen.*

Da ist er schon wieder. Gelb wie ein Käs! Der will mich verhauen ... *Auftritt Andri, die Musik ist aus.*

SOLDAT Wie geht's deiner Braut?

ANDRI *packt den Soldaten am Kragen.*

SOLDAT Was soll das?

Der Soldat macht sich los.

Ein alter Rabbi hat ihm das Märchen erzählt von ⌜David und Goliath⌝, jetzt möcht er uns den David spielen.

Sie grinsen.

Gehn wir.

ANDRI Fedri –

GESELLE Wie er stottert!

ANDRI ⌜Warum hast du mich verraten?⌝

SOLDAT Gehn wir.

Andri schlägt dem Soldaten die Mütze vom Kopf.

Paß auf, du!

Der Soldat nimmt die Mütze vom Pflaster und klopft den Staub ab.

Wenn du meinst, ich will deinetwegen in Arrest –

GESELLE Was will er denn bloß?

ANDRI Jetzt mach mich zur Sau.

SOLDAT Gehn wir.

Der Soldat setzt sich die Mütze auf, Andri schlägt sie ihm nochmals vom Kopf, die andern lachen, der Soldat schlägt ihm plötzlich einen Haken, so daß Andri stürzt.

Wo hast du die ⌜Schleuder⌝, David?

Andri erhebt sich.

Unser David, unser David geht los!

Andri schlägt auch dem Soldaten plötzlich den Haken, der Soldat stürzt.

Jud, verdammter –!

SENORA Nein! Nein! Alle gegen einen. Nein!

Die andern Soldaten haben Andri gepackt, so daß der Soldat loskommt. Der Soldat schlägt auf Andri, während die andern ihn festhalten. Andri wehrt sich stumm, plötzlich kommt er los. Der Geselle gibt ihm einen Fußtritt von hinten. Als Andri sich umdreht, packt ihn der Soldat seinerseits von hinten. Andri fällt. Die vier Solda-

ten und der Geselle versetzen ihm Fußtritte von allen Seiten, bis sie die Senora wahrnehmen, die herbeigekommen ist.

SOLDAT – das hat noch gefehlt, uns lächerlich machen vor einer Fremden . . . 5

Der Soldat und die andern verschwinden.

SENORA Wer bist du?

ANDRI Ich bin nicht feig.

SENORA Wie heißest du?

ANDRI Immer sagen sie, ich bin feig. 10

SENORA Nicht, nicht mit der Hand in die Wunde!

geschliffene, bauchige Glas-flasche

Auftritt der Wirt mit Karaffe* und Glas auf Tablett.

WIRT Was ist geschehn?

SENORA Holen Sie einen Arzt.

WIRT Und das vor meinem Hotel –! 15

SENORA Geben Sie her.

Die Senora nimmt die Karaffe und ihr Taschentuch, kniet neben Andri, der sich aufzurichten versucht.

Sie haben ihn mit Stiefeln getreten.

WIRT Unmöglich, Senora! 20

SENORA Stehen Sie nicht da, ich bitte Sie, holen Sie einen Arzt.

WIRT Senora, das ist nicht üblich hierzuland . . .

SENORA Ich wasche dich nur.

WIRT Du bist selbst schuld. Was kommst du immer, wenn 25 die Soldaten da sind . . .

SENORA Sieh mich an!

WIRT Ich habe dich gewarnt.

SENORA Zum Glück ist das Auge nicht verletzt.

WIRT Er ist selbst schuld, immer geht er an die Klimper- 30 kiste, ich hab ihn ja gewarnt, er macht die Leute rein nervös . . .

SENORA Wollen Sie keinen Arzt holen?

Der Wirt geht.

ANDRI Jetzt sind alle gegen mich. 35

SENORA Schmerzen?

ANDRI Ich will keinen Arzt.

SENORA Das geht bis auf den Knochen.

ANDRI Ich kenne den Arzt.

Andri erhebt sich.

Ich kann schon gehn, das ist nur an der Stirn.

SENORA *erhebt sich.*

ANDRI Ihr Kleid, Senora! – Ich habe Sie blutig gemacht.

SENORA Führe mich zu deinem Vater.

Die Senora nimmt Andri am Arm, sie gehen langsam, während der Wirt und der Doktor kommen.

DOKTOR Arm in Arm?

WIRT Sie haben ihn mit Stiefeln getreten, ich hab's mit eigenen Augen gesehen, ich war drin.

DOKTOR *steckt sich einen Zigarillo an.*

WIRT Immer geht er an die Klimperkiste, ich hab's ihm noch gesagt, er macht die Leute rein nervös.

DOKTOR Blut?

WIRT Ich hab es kommen sehn.

DOKTOR *raucht.*

WIRT Sie sagen kein Wort.

DOKTOR Eine peinliche Sache.

WIRT Er hat angefangen.

DOKTOR Ich habe nichts wider dieses Volk, aber ich fühle mich nicht wohl, wenn ich einen von ihnen sehe. Wie man sich verhält, ist's falsch. Was habe ich denn gesagt? Sie können's nicht lassen, immer verlangen sie, daß unsereiner sich an ihnen bewährt. Als hätten wir nichts andres zu tun! Niemand hat gern ein schlechtes Gewissen, aber darauf legen sie's an. Sie wollen, daß man ihnen ein Unrecht tut. Sie warten nur darauf . . .

Er wendet sich zum Gehen.

Waschen Sie das bißchen Blut weg. Und schwatzen Sie nicht immer soviel in der Welt herum! Sie brauchen nicht jedermann zu sagen, was Sie mit eignen Augen gesehen haben.

Vordergrund

Der Lehrer und die Senora vor dem weißen Haus wie zu Anfang.

SENORA Du hast gesagt, unser Sohn sei Jude.

LEHRER *schweigt.*

SENORA Warum hast du diese Lüge in die Welt gesetzt?

LEHRER *schweigt.*

SENORA Eines Tages kam ein andorranischer Krämer* vorbei, der überhaupt viel redete. Um Andorra zu loben, erzählte er überall die rührende Geschichte von einem andorranischen Lehrer, der damals, zur Zeit der großen Morde, ein Judenkind gerettet habe, das er hege und pflege wie einen eignen Sohn. Ich schickte sofort einen Brief: Bist du dieser Lehrer? Ich forderte Antwort. Ich fragte: Weißt du, was du getan hast? Ich wartete auf Antwort. Sie kam nicht. Vielleicht hast du meinen Brief nie bekommen. Ich konnte nicht glauben, was ich befürchtete. Ich schrieb ein zweites Mal, ein drittes Mal. Ich wartete auf Antwort. So verging die Zeit . . . Warum hast du diese Lüge in die Welt gesetzt?

LEHRER Warum, warum, warum!

SENORA Du hast mich gehaßt, weil ich feige war, als das Kind kam. Weil ich Angst hatte vor meinen Leuten. Als du an die Grenze kamst, sagtest du, es sei ein Judenkind, das du gerettet hast vor uns. Warum? Weil auch du feige warst, als du wieder nach Hause kamst. Weil auch du Angst hattest vor deinen Leuten.

Pause

War es nicht so?

Pause

Vielleicht wolltest du zeigen, daß ihr so ganz anders seid als wir. Weil du mich gehaßt hast. Aber sie sind hier nicht anders, du siehst es, nicht viel.

Kleinhändler, Lebensmittelverkäufer

LEHRER *schweigt.*

SENORA Er sagte, er wolle nach Haus, und hat mich hierher gebracht; als er dein Haus sah, drehte er um und ging
weg, ich weiß nicht wohin.

5 LEHRER Ich werde es sagen, daß er mein Sohn ist, unser
Sohn, ihr eignes Fleisch und Blut –

SENORA Warum gehst du nicht?

LEHRER Und wenn sie die Wahrheit nicht wollen?

Pause

Neuntes Bild

Stube beim Lehrer, die Senora sitzt, Andri steht.

SENORA Da man also nicht wünscht, daß ich es dir sage,
Andri, weswegen ich gekommen bin, ziehe ich jetzt meine Handschuhe an und gehe.   5

ANDRI Senora, ich verstehe kein Wort.

SENORA Bald wirst du alles verstehen.
Sie zieht einen Handschuh an.
Weißt du, daß du schön bist?
Lärm in der Gasse   10
Sie haben dich beschimpft und mißhandelt, Andri, aber
das wird ein Ende nehmen. Die Wahrheit wird sie rich-
ten, und du, Andri, bist der einzige hier, der die Wahr-
heit nicht zu fürchten braucht.

ANDRI Welche Wahrheit?   15

SENORA Ich bin froh, daß ich dich gesehen habe.

ANDRI Sie verlassen uns, Senora?

SENORA Man bittet darum.

ANDRI Wenn Sie sagen, kein Land sei schlechter und kein
Land sei besser als Andorra, warum bleiben Sie nicht   20
hier?

SENORA Möchtest du das?
Lärm in der Gasse
Ich muß. Ich bin eine von drüben, du hörst es, wie ich sie
verdrieße*. Eine Schwarze! So nennen sie uns hier, ich   25
weiß . . .
Sie zieht den andern Handschuh an.
Vieles möchte ich dir noch sagen, Andri, und vieles fra-
gen, lang mit dir sprechen. Aber wir werden uns wie-
dersehen, so hoffe ich . . .   30
Sie ist fertig.
Wir werden uns wiedersehen.

missmutig ma-
chen, verär-
gern

Sie sieht sich nochmals um.
Hier also bist du aufgewachsen.

ANDRI Ja.

SENORA Ich sollte jetzt gehen.

5   *Sie bleibt sitzen.*
Als ich in deinem Alter war – das geht sehr schnell,
Andri, du bist jetzt zwanzig und kannst es nicht glauben:
man trifft sich, man liebt, man trennt sich, das Leben ist
vorne, und wenn man in den Spiegel schaut, plötzlich ist
10 es hinten, man kommt sich nicht viel anders vor, aber
plötzlich sind es andere, die jetzt zwanzig sind ... Als
ich in deinem Alter war: mein Vater, ein Offizier, war
gefallen im Krieg, ich weiß, wie er dachte, und ich wollte
nicht denken wie er. Wir wollten eine andere Welt. Wir
15 waren jung wie du, und was man uns lehrte, war mör-
derisch, das wußten wir. Und wir verachteten die Welt,
wie sie ist, wir durchschauten sie und wollten eine andere wagen. Und wir wagten sie auch. Wir wollten keine
Angst haben vor den Leuten. Um nichts in der Welt. Wir
20 wollten nicht lügen. Als wir sahen, daß wir die Angst
nur verschwiegen, haßten wir einander. Unsere andere
Welt dauerte nicht lang. Wir kehrten über die Grenze
zurück, wo wir herkamen, als wir jung waren wie du ...
Sie erhebt sich.
25 Versteht du, was ich sage?

ANDRI Nein.

SENORA *tritt zu Andri und küßt ihn.*

ANDRI Warum küssen Sie mich?

SENORA Ich muß gehen. Werden wir uns wiedersehen?

30 ANDRI Ich möchte es.

SENORA Ich wollte immer, ich hätte Vater und Mutter nie
gekannt. Kein Mensch, wenn er die Welt sieht, die sie
ihm hinterlassen, versteht seine Eltern.
Der Lehrer und die Mutter treten ein.

35 SENORA Ich gehe, ja, ich bin im Begriff zu gehen.

Schweigen
So sage ich denn Lebwohl.
Schweigen
Ich gehe, ja, jetzt gehe ich . . . *Die Senora geht hinaus.*
LEHRER Begleite sie! Aber nicht über den Platz, geh hinten 5
herum.
ANDRI Warum hinten herum?
LEHRER Geh!
Andri geht hinaus.
LEHRER Der Pater wird es ihm sagen. Frag mich jetzt nicht! 10
Du verstehst mich nicht, drum hab ich es dir nie gesagt.
Er setzt sich.
Jetzt weißt du's.
MUTTER Was wird Andri dazu sagen?
LEHRER Mit glaubt er's nicht. 15
Lärm in der Gasse
Hoffentlich läßt der Pöbel* sie in Ruh.
MUTTER Ich versteh mehr, als du meinst, Can. Du hast sie
geliebt, aber mich hast du geheiratet, weil ich eine An-
dorranerin bin. Du hast uns alle verraten, aber den 20
Andri vor allem. Fluch nicht auf die Andorraner, du
selbst bist einer.
Eintritt der Pater.
Hochwürden haben eine schwere Aufgabe in diesem
Haus. Hochwürden haben unsrem Andri erklärt, was 25
das ist, ein Jud, und daß er's annehmen soll. Nun hat er's
angenommen. Nun müssen Hochwürden ihm sagen,
was ein Andorraner ist, und daß er's annehmen soll.
LEHRER Jetzt laß uns allein!
MUTTER Gott steh Ihnen bei, Pater Benedikt. 30
Die Mutter geht hinaus.
PATER Ich habe es versucht, aber vergeblich, man kann
nicht reden mit ihnen, jedes vernünftige Wort bringt sie
auf. Sie sollen endlich nach Hause gehen, ich hab's ihnen
gesagt, und sich um ihre eignen Angelegenheiten küm- 35
mern. Dabei weiß keiner, was sie eigentlich wollen.

Abschätzige Bezeichnung für das gemeine Volk auf der Straße

Andri kommt zurück.

LEHRER Wieso schon zurück.

ANDRI Sie will allein gehen, sagt sie.

Er zeigt seine Hand.

Sie hat mir das geschenkt.

LEHRER – ihren Ring?

ANDRI Ja.

LEHRER *schweigt, dann erhebt er sich.*

ANDRI Wer ist diese Senora?

LEHRER Dann begleit ich sie.

Der Lehrer geht.

PATER Warum lachst du denn?

ANDRI Er ist eifersüchtig!

PATER Nimm Platz.

ANDRI Was ist eigentlich los mit euch allen?

PATER Es ist nicht zum Lachen, Andri.

ANDRI Aber lächerlich.

Andri betrachtet den Ring.

Ist das ein Topas* oder was kann das sein?

PATER Andri, wir sollen sprechen miteinander.

ANDRI Schon wieder?

Andri lacht.

Alle benehmen sich heut wie Marionetten, wenn die Fäden durcheinander sind, auch Sie, Hochwürden.

Andri nimmt sich eine Zigarette.

War sie einmal seine Geliebte? Man hat so das Gefühl. Sie nicht?

Andri raucht.

Sie ist eine fantastische Frau.

PATER Ich habe dir etwas zu sagen.

ANDRI Kann man nicht stehen dazu?

Andri setzt sich.

Um zwei muß ich im Laden sein. Ist sie nicht eine fantastische Frau?

PATER Es freut mich, daß sie dir gefällt.

Edelstein, der unterschiedliche Färbungen annehmen kann.

ANDRI Alle tun so steif.

Andri raucht.

Sie wollen mir sagen, man soll halt nicht zu einem Soldat
gehn und ihm die Mütze vom Kopf hauen, wenn man
weiß, daß man Jud ist, man soll das überhaupt nicht tun, 5
und doch bin ich froh, daß ich's getan habe, ich hab
etwas gelernt dabei, auch wenn's mir nichts nützt, überhaupt vergeht jetzt, seit unserm Gespräch, kein Tag,
ohne daß ich etwas lerne, was mir nichts nützt, Hochwürden, so wenig wie Ihre guten Worte, ich glaub's, daß 10
Sie es wohl meinen, Sie sind Christ von Beruf, aber ich
bin Jud von Geburt, und drum werd ich jetzt auswan-
dern.

PATER Andri –

ANDRI Sofern's mir gelingt. 15

Andri löscht die Zigarette.

Das wollte ich niemand sagen.

PATER Bleib sitzen!

ANDRI Dieser Ring wird mir helfen.

Daß Sie jetzt schweigen, Hochwürden, daß Sie es nie- 20
mand sagen, ist das Einzige, was Sie für mich tun können.

Andri erhebt sich.

Ich muß gehn.

Andri lacht. 25

Ich hab so etwas Gehetztes, ich weiß, Hochwürden haben ganz recht . . .

PATER Sprichst du oder spreche ich?

ANDRI Verzeihung.

Andri setzt sich. 30

Ich höre.

PATER Andri –

ANDRI Sie sind so feierlich!

PATER Ich bin gekommen, um dich zu erlösen.

ANDRI Ich höre. 35

PATER Auch ich, Andri, habe nichts davon gewußt, als wir
das letzte Mal miteinander redeten. Er habe ein Judenkind gerettet, so hieß es seit Jahr und Tag, eine christliche Tat, wieso sollte ich nicht dran glauben! Aber nun,
Andri, ist deine Mutter gekommen –

ANDRI Wer ist gekommen?

PATER Die Senora.

ANDRI *springt auf.*

PATER Andri – du bist kein Jud.

Schweigen

Du glaubst nicht, was ich dir sage?

ANDRI Nein.

PATER Also glaubst du, ich lüge?

ANDRI Hochwürden, das fühlt man.

PATER Was fühlt man?

ANDRI Ob man Jud ist oder nicht.

Der Pater erhebt sich und nähert sich Andri.

Rühren Sie mich nicht an. Eure Hände! Ich will das nicht
mehr.

PATER Hörst du nicht, was ich dir sage?

ANDRI *schweigt.*

PATER Du bist sein Sohn.

ANDRI *lacht.*

PATER Andri, das ist die Wahrheit.

ANDRI Wie viele Wahrheiten habt ihr?

Andri nimmt sich eine Zigarette, die er dann vergißt.

Das könnt ihr nicht machen mit mir . . .

PATER Warum glaubst du uns nicht?

ANDRI Euch habe ich ausgeglaubt.

PATER Ich sage und schwöre beim Heil meiner Seele,
Andri: Du bist sein Sohn, unser Sohn, und von Jud kann
nicht die Rede sein.

ANDRI 's war aber viel die Red davon . . .

Großer Lärm in der Gasse

PATER Was ist denn los?

Stille

ANDRI Seit ich höre, hat man mir gesagt, ich sei anders, und ich habe geachtet drauf, ob es so ist, wie sie sagen. Und es ist so, Hochwürden: Ich bin anders. Man hat mir gesagt, wie meinesgleichen sich bewege, nämlich so und 5 so, und ich bin vor den Spiegel getreten fast jeden Abend. Sie haben recht: Ich bewege mich so und so. Ich kann nicht anders. Und ich habe geachtet auch darauf, ob's wahr ist, daß ich alleweil denke ans Geld, wenn die Andorraner mich beobachten und denken, jetzt denke 10 ich ans Geld, und sie haben abermals recht: Ich denke alleweil ans Geld. Es ist so. Und ich habe kein Gemüt, ich hab's versucht, aber vergeblich: Ich habe kein Gemüt, sondern Angst. Und man hat mir gesagt, meinesgleichen ist feig. Auch darauf habe ich geachtet. Viele 15 sind feig, aber ich weiß es, wenn ich feig bin. Ich wollte es nicht wahrhaben, was sie mir sagten, aber es ist so. Sie haben mich mit Stiefeln getreten, und es ist so, wie sie sagen: Ich fühle nicht wie sie. Und ich habe keine Heimat. Hochwürden haben gesagt, man muß das anneh- 20 men, und ich hab's angenommen. Jetzt ist es an euch, Hochwürden, euren Jud anzunehmen.

PATER Andri –

ANDRI Jetzt, Hochwürden, spreche ich.

PATER – du möchtest ein Jud sein? 25

ANDRI Ich bin's. Lang habe ich nicht gewußt, was das ist. Jetzt weiß ich's.

PATER *setzt sich hilflos.*

ANDRI Ich möchte nicht Vater noch Mutter haben, damit ihr Tod nicht über mich komme mit Schmerz und Ver- 30 zweiflung und mein Tod nicht über sie. Und keine Schwester und keine Braut: Bald wird alles zerrissen, da hilft kein Schwur und nicht unsre Treue. Ich möchte, daß es bald geschehe. Ich bin alt. Meine Zuversicht ist ausgefallen, eine um die andere, wie Zähne. Ich habe 35

gejauchzt, die Sonne schien grün in den Bäumen, ich
habe meinen Namen in die Lüfte geworfen wie eine
Mütze, die niemand gehört wenn nicht mir, und herunter fällt ein ⌈Stein, der mich tötet⌉. Ich bin im Unrecht
gewesen, anders als sie dachten, allezeit. Ich wollte recht
haben und frohlocken. Die meine Feinde waren, hatten
recht, auch wenn sie kein Recht dazu hatten, denn am
Ende seiner Einsicht kann man sich selbst nicht recht
geben. Ich brauche jetzt schon keine Feinde mehr, die
Wahrheit reicht aus. Ich erschrecke, so oft ich noch hoffe. Das Hoffen ist mir nie bekommen. Ich erschrecke,
wenn ich lache, und ich kann nicht weinen. Meine
Trauer erhebt mich über euch alle, und so werde ich
stürzen. Meine Augen sind groß von Schwermut, mein
Blut weiß alles, und ich möchte tot sein. Aber mir graut
vor dem Sterben. Es gibt keine Gnade –

PATER Jetzt versündigst du dich.

ANDRI Sehen Sie den alten Lehrer, wie der herunterkommt
und war doch einmal ein junger Mann, sagt er, und ein
großer Wille. Sehen Sie Barblin. Und alle, alle, nicht nur
mich. Sehen Sie die Soldaten. Lauter Verdammte. Sehen
Sie sich selbst. Sie wissen heut schon, was Sie tun werden, Hochwürden, wenn man mich holt vor Ihren guten
Augen, und drum starren die mich so an, Ihre guten
guten Augen. Sie werden beten. Für mich und für sich.
Ihr Gebet hilft nicht einmal Ihnen, Sie werden trotzdem
ein Verräter. Gnade ist ein ewiges Gerücht, die Sonne
scheint grün in den Bäumen, auch wenn sie mich holen.
Eintritt der Lehrer, zerfetzt.

PATER Was ist geschehen?!

LEHRER *bricht zusammen.*

PATER So reden Sie doch!

LEHRER Sie ist tot.

ANDRI Die Senora –?

PATER Wie ist das geschehen?

LEHRER – ein Stein.

PATER Wer hat ihn geworfen!

LEHRER – Andri, sagen sie, der Wirt habe es mit eignen
Augen gesehen.

ANDRI *will davonlaufen, der Lehrer hält ihn fest.*

LEHRER Er war hier, Sie sind sein Zeuge.

Vordergrund

Der Jemand tritt an die Zeugenschranke.

JEMAND Ich gebe zu: Es ist keineswegs erwiesen, wer den
Stein geworfen hat gegen die Fremde damals. Ich persönlich war zu jener Stunde nicht auf dem Platz. Ich
möchte niemand beschuldigen, ich bin nicht der Welten-
richter. Was den jungen Bursch betrifft: natürlich erinnere ich mich an ihn. Er ging oft ans Orchestrion, um
sein Trinkgeld zu verklimpern, und als sie ihn holten, tat
er mir leid. Was die Soldaten, als sie ihn holten, gemacht
haben mit ihm, weiß ich nicht, wir hörten nur seinen
Schrei ... Einmal muß man auch vergessen können,
finde ich.

Zehntes Bild

Platz von Andorra, Andri sitzt allein.

ANDRI Man sieht mich von überall, ich weiß. Sie sollen
mich sehen . . .
Er nimmt eine Zigarette.
Ich habe den Stein nicht geworfen!
Er raucht.
Sollen sie kommen, alle, die's gesehen haben mit eignen
Augen, sollen sie aus ihren Häusern kommen, wenn sie's
wagen, und mit dem Finger zeigen auf mich.
STIMME *flüstert.*
ANDRI Warum flüsterst du hinter der Mauer?
STIMME *flüstert.*
ANDRI Ich versteh kein Wort, wenn du flüsterst.
Er raucht.
Ich sitze mitten auf dem Platz, ja, seit einer Stunde. Kein
Mensch ist hier. Wie ausgestorben. Alle sind im Keller.
Es sieht merkwürdig aus. Nur die Spatzen auf den Dräh-
ten.
STIMME *flüstert.*
ANDRI Warum soll ich mich verstecken?
STIMME *flüstert.*
ANDRI Ich habe den Stein nicht geworfen.
Er raucht.
Seit dem Morgengrauen bin ich durch eure Gassen ge-
schlendert. Mutterseelenallein. Alle Läden herunter,
jede Tür zu. Es gibt nur noch Hunde und Katzen in
eurem schneeweißen Andorra . . .
*Man hört das Gedröhn eines fahrenden Lautsprechers,
ohne daß man die Worte versteht, laut und hallend.*
ANDRI Du sollst kein Gewehr tragen. Hast du's gehört? 's
ist aus. *Der Lehrer tritt hervor, ein Gewehr im Arm.*

LEHRER Andri –

ANDRI *raucht.*

LEHRER Wir suchen dich die ganze Nacht –

ANDRI Wo ist Barblin?

5   LEHRER Ich war droben im Wald –

ANDRI Was soll ich im Wald?

LEHRER Andri – die Schwarzen sind da.
   Er horcht.
   Still.

10 ANDRI Was hörst du denn?

LEHRER *entsichert das Gewehr.*

ANDRI Spatzen, nichts als Spatzen!
   Vogelzwitschern

LEHRER Hier kannst du nicht bleiben.

15 ANDRI Wo kann ich bleiben?

LEHRER Das ist Unsinn, was du tust, das ist Irrsinn –
   Er nimmt Andri am Arm.
   Jetzt komm!

ANDRI Ich habe den Stein nicht geworfen –

20   *Er reißt sich los.*
   Ich habe den Stein nicht geworfen!
   Geräusch

LEHRER Was war das?

ANDRI Fensterläden.

25   *Er zertritt seine Zigarette.*
   Leute hinter Fensterläden.
   Er nimmt eine nächste Zigarette.
   Hast du Feuer?
   Trommeln in der Ferne.

30 LEHRER Hast du Schüsse gehört?

ANDRI Es ist stiller als je.

LEHRER Ich habe keine Ahnung, was jetzt geschieht.

ANDRI Das blaue Wunder.

LEHRER Was sagst du?

35 ANDRI Lieber tot als untertan.

Wieder das Gedröhn des fahrenden Lautsprechers.

ANDRI KEIN ANDORRANER HAT ETWAS ZU FÜRCHTEN.

Hörst du's?

RUHE UND ORDNUNG / JEDES BLUTVERGIE- 5
SSEN / IM NAMEN DES FRIEDENS / WER EINE
WAFFE TRÄGT ODER VERSTECKT / DER OBER-
BEFEHLSHABER / KEIN ANDORRANER HAT ET-
WAS ZU FÜRCHTEN . . .

Stille 10

ANDRI Eigentlich ist es genau so, wie man es sich hätte
vorstellen können. Genau so.

LEHRER Wovon redest du?

ANDRI Von eurer Kapitulation.

Drei Männer, ohne Gewehr, gehen über den Platz. 15

ANDRI Du bist der letzte mit einem Gewehr.

LEHRER Lumpenhunde.

ANDRI Kein Andorraner hat etwas zu fürchten.

Vogelzwitschern

Hast du kein Feuer? 20

LEHRER *starrt den Männern nach.*

ANDRI Hast du bemerkt, wie sie gehn? Sie blicken einander nicht an. Und wie sie schweigen! Wenn es dann soweit ist, merkt jeder, was er alles nie geglaubt hat. Drum
gehen sie heute so seltsam. Wie lauter Lügner. 25

Zwei Männer, ohne Gewehr, gehen über den Platz.

LEHRER Mein Sohn –

ANDRI Fang jetzt nicht wieder an!

LEHRER Du bist verloren, wenn du mir nicht glaubst.

ANDRI Ich bin nicht dein Sohn. 30

LEHRER Man kann sich seinen Vater nicht wählen. Was
soll ich tun, damit du's glaubst? Was noch? Ich sag es
ihnen, wo ich stehe und gehe, ich hab's den Kindern in
der Schule gesagt, daß du mein Sohn bist. Was noch?
Soll ich mich aufhängen, damit du's glaubst? Ich geh 35
nicht weg von dir.

Er setzt sich zu Andri.

Andri –

ANDRI *blickt an den Häusern herauf.*

LEHRER Wo schaust du hin?

5   *Ein schwarze Fahne wird gehißt.*

ANDRI Sie können's nicht erwarten.

LEHRER Woher haben sie die Fahnen?

ANDRI Jetzt brauchen sie nur noch einen ⌜Sündenbock⌝.

    Eine zweite Fahne wird gehißt.

10 LEHRER Komm nach Haus!

ANDRI Es hat keinen Zweck, Vater, daß du es nochmals erzählst. Dein Schicksal ist nicht mein Schicksal, Vater, und mein Schicksal ist nicht dein Schicksal.

LEHRER Mein einziger Zeuge ist tot.

15 ANDRI Sprich nicht von ihr!

LEHRER Du trägst ihren Ring –

ANDRI Was du getan hast, tut kein Vater.

LEHRER Woher weißt du das?

ANDRI *horcht.*

20 LEHRER Ein Andorraner, sagen sie, hat nichts mit einer von drüben und schon gar nicht ein Kind. Ich hatte Angst vor ihnen, ja, Angst vor Andorra, weil ich feig war –

ANDRI Man hört zu.

25 LEHRER *sieht sich um und schreit gegen die Häuser:* – weil ich feig war! *wieder zu Andri:* Drum hab ich das gesagt. Es war leichter, damals, ein Judenkind zu haben. Es war rühmlich. Sie haben dich gestreichelt, im Anfang haben sie dich gestreichelt, denn ⌜es schmeichelte ihnen, daß sie

30 nicht sind wie diese da drüben⌝.

ANDRI *horcht.*

LEHRER Hörst du, was dein Vater sagt?

    Geräusch eines Fensterladens

Sollen sie zuhören!

35   *Geräusch eines Fensterladens*

Andri –

ANDRI Sie glauben's dir nicht.

LEHRER Weil du mir nicht glaubst!

ANDRI *raucht.*

LEHRER Du mit deiner Unschuld, ja, du hast den Stein 5
nicht geworfen, sag's noch einmal, du hast den Stein
nicht geworfen, ja, du mit dem Unmaß deiner Unschuld,
sieh mich an wie ein Jud, aber du bist mein Sohn, ja,
mein Sohn, und wenn du's nicht glaubst, bist du verloren. 10

ANDRI Ich bin verloren.

LEHRER Du willst meine Schuld!?

ANDRI *blickt ihn an.*

LEHRER So sag es!

ANDRI Was? 15

LEHRER Ich soll mich aufhängen. Sag's!

Marschmusik in der Ferne

ANDRI Sie kommen mit Musik.

Er nimmt eine nächste Zigarette.

Ich bin nicht der erste, der verloren ist. Es hat keinen 20
Zweck, was du redest. Ich weiß, wer meine Vorfahren
sind. Tausende und Hunderttausende sind gestorben am
Pfahl, ihr Schicksal ist mein Schicksal.

LEHRER Schicksal!

ANDRI Das verstehst du nicht, weil du kein Jud bist – 25
Er blickt in die Gasse.

Laß mich allein!

LEHRER Was siehst du?

ANDRI Wie sie die Gewehre auf den Haufen werfen.

Auftritt der Soldat, der entwaffnet ist, er trägt nur noch 30
die Trommel, man hört, wie Gewehre hingeworfen wer-
den; der Soldat spricht zurück:

SOLDAT Aber ordentlich! hab ich gesagt. Wie bei der
Armee!

Er tritt zum Lehrer. 35

Her mit dem Gewehr.

LEHRER Nein.

SOLDAT Befehl ist Befehl.

LEHRER Nein.

SOLDAT Kein Andorraner hat etwas zu fürchten.

Auftreten der Doktor, der Wirt, der Tischler, der Geselle, der Jemand, alle ohne Gewehr.

LEHRER Lumpenhunde! Ihr alle! Fötzel*! Bis zum letzten Mann. Fötzel!

Der Lehrer entsichert sein Gewehr und will auf die Andorraner schießen, aber der Soldat greift ein, nach einem kurzen lautlosen Ringen ist der Lehrer entwaffnet und sieht sich um.

LEHRER – mein Sohn! Wo ist mein Sohn?

Der Lehrer stürzt davon.

JEMAND Was in den gefahren ist.

Im Vordergrund rechts, am Orchestrion, erscheint Andri und wirft eine Münze ein, so daß seine Melodie spielt, und verschwindet langsam.

Schweizer Schimpfwort für Nichtsnutz, Lump

Vordergrund

Während das Orchestrion spielt: zwei Soldaten in schwarzer Uniform, jeder mit einer Maschinenpistole, patrouillieren kreuzweise hin und her.

Elftes Bild

Vor der Kammer der Barblin. Andri und Barblin. Trommeln in der Ferne.

ANDRI Hast du viele Male geschlafen mit ihm?

BARBLIN Andri.

ANDRI Ich frage, ob du viele Male mit ihm geschlafen hast, während ich hier auf der Schwelle hockte und redete. Von unsrer Flucht!

BARBLIN *schweigt.*

ANDRI Hier hat er gestanden: barfuß, weißt du, mit offnem Gurt –

BARBLIN Schweig!

ANDRI Brusthaar wie ein Affe.

BARBLIN *schweigt.*

ANDRI Ein Kerl!

BARBLIN *schweigt.*

ANDRI Hast du viele Male geschlafen mit ihm?

BARBLIN *schweigt.*

ANDRI Du schweigst ... Also wovon sollen wir reden in dieser Nacht? Ich soll jetzt nicht daran denken, sagst du. Ich soll an meine Zukunft denken, aber ich habe keine ... Ich möchte ja nur wissen, ob's viele Male war.

BARBLIN *schluchzt.*

ANDRI Und es geht weiter?

BARBLIN *schluchzt.*

ANDRI Wozu eigentlich möcht ich das wissen! Was geht's mich an! Bloß um noch einmal ein Gefühl für dich zu haben.

Andri horcht.

Sei doch still!

BARBLIN So ist ja alles gar nicht.

ANDRI Ich weiß nicht, wo die mich suchen –

BARBLIN Du bist ungerecht, so ungerecht.

ANDRI Ich werde mich entschuldigen, wenn sie kommen . . .

BARBLIN *schluchzt.*

ANDRI Ich dachte, wir lieben uns. Wieso ungerecht? Ich frag ja bloß, wie das ist, wenn einer ein Kerl ist. Warum so zimperlich? Ich frag ja bloß, weil du meine Braut warst. Heul nicht! Das kannst du mir doch sagen, jetzt wo du dich als meine Schwester fühlst.

Andri streicht über ihr Haar.

Ich habe zu lange gewartet auf dich . . .

Andri horcht.

BARBLIN Sie dürfen dir nichts antun!

ANDRI Wer bestimmt das?

BARBLIN Ich bleib bei dir!

Stille

ANDRI Jetzt kommt wieder die Angst –

BARBLIN Bruder!

ANDRI Plötzlich. Wenn die wissen, ich bin im Haus, und sie finden einen nicht, dann zünden sie das Haus an, das ist bekannt, und warten unten in der Gasse, bis der Jud durchs Fenster springt.

BARBLIN Andri – du bist keiner!

ANDRI Warum willst du mich denn verstecken?

Trommeln in der Ferne

BARBLIN Komm in meine Kammer!

ANDRI *schüttelt den Kopf.*

BARBLIN Niemand weiß, daß hier noch eine Kammer ist.

ANDRI – außer Peider.

Die Trommeln verlieren sich.

So ausgetilgt.

BARBLIN Was sagst du?

ANDRI Was kommt, das ist ja alles schon geschehen. Ich sage: So ausgetilgt. Mein Kopf in deinem Schoß. Erinnerst du dich? Das hört ja nicht auf. Mein Kopf in dei-

nem Schoß. War ich euch nicht im Weg? Ich kann es mir
nicht vorstellen. Wenn schon! Ich kann es mir vorstellen.
Was ich wohl geredet habe, als ich nicht mehr war? Warum hast du nicht gelacht? Du hast ja nicht einmal gelacht. So ausgetilgt, so ausgetilgt! Und ich hab's nicht
einmal gespürt, wenn Peider in deinem Schoß war, dein
Haar in seinen Händen*. Wenn schon! Es ist ja alles   Vgl. Erl. zu
schon geschehen ...   10,32.

Trommeln in der Nähe

ANDRI Sie merken's, wo die Angst ist.

BARBLIN – sie gehn vorbei.

ANDRI Sie umstellen das Haus.

Die Trommeln verstummen plötzlich.

Ich bin's, den sie suchen, das weißt du genau, ich bin
nicht dein Bruder. Da hilft keine Lüge. Es ist schon zuviel gelogen worden. *Stille.* So küß mich doch!

BARBLIN Andri –

ANDRI Zieh dich aus!

BARBLIN Du hast den Verstand verloren, Andri.

ANDRI Jetzt küß mich und umarme mich!

BARBLIN *wehrt sich.*

ANDRI 's ist einerlei.

BARBLIN *wehrt sich.*

ANDRI Tu nicht so treu, du –

Klirren einer Fensterscheibe

BARBLIN Was war das?

ANDRI – sie wissen's, wo ich bin.

BARBLIN So lösch doch die Kerze!

Klirren einer zweiten Fensterscheibe

ANDRI Küß mich!

BARBLIN Nein. Nein ...

ANDRI Kannst du nicht, was du mit jedem kannst, fröhlich
und nackt? Ich lasse dich nicht. Was ist anders mit andern? So sag es doch. Was ist anders? Ich küß dich,
Soldatenbraut! Einer mehr oder weniger, zier dich nicht.

Was ist anders mit mir? Sag's! Langweilt es dein Haar, wenn ich es küsse?

BARBLIN Bruder –

ANDRI Warum schämst du dich nur vor mir?

BARBLIN Jetzt laß mich!

ANDRI Jetzt, ja, jetzt und nie, ja, ich will dich, ja, fröhlich und nackt, ja, Schwesterlein, ja, ja, ja –

BARBLIN *schreit.*

ANDRI Denk an die Tollkirschen.

Andri löst ihr die Bluse wie einer Ohnmächtigen.

Denk an unsere Tollkirschen –

BARBLIN Du bist irr!

Hausklingel

BARBLIN Hast du gehört? Du bist verloren, Andri, wenn du uns nicht glaubst. Versteck dich!

Hausklingel

ANDRI Warum haben wir uns nicht vergiftet, Barblin, als wir noch Kinder waren, jetzt ist's zu spät . . .

Schläge gegen die Haustüre

BARBLIN Vater macht nicht auf.

ANDRI Wie langsam.

BARBLIN Was sagst du?

ANDRI Ich sage, wie langsam es geht.

Schläge gegen die Haustüre

BARBLIN Herr, unser Gott, der Du bist, der Du bist, Herr, unser Allmächtiger, der Du bist in dem Himmel, Herr, Herr, der Du bist – Herr . . .

Krachen der Haustür

ANDRI Laß mich allein. Aber schnell. Nimm deine Bluse. Wenn sie dich finden bei mir, das ist nicht gut. Aber schnell. Denk an dein Haar.

Stimmen im Haus. Barblin löscht die Kerze, Tritte von Stiefeln, es erscheinen der Soldat mit der Trommel und zwei Soldaten in schwarzer Uniform, ausgerüstet mit einem Scheinwerfer: Barblin, allein vor der Kammer.

SOLDAT Wo ist er?

BARBLIN Wer?

SOLDAT Unser Jud.

BARBLIN Es gibt keinen Jud.

SOLDAT *stößt sie weg und tritt zur Türe.*

BARBLIN Untersteh dich!

SOLDAT Aufmachen.

BARBLIN Hilfe! Hilfe!

ANDRI *tritt aus der Türe.*

SOLDAT Das ist er.

ANDRI *wird gefesselt.*

BARBLIN Rührt meinen Bruder nicht an, er ist mein Bruder –

SOLDAT Die ⌈Judenschau⌉ wird's zeigen.

BARBLIN Judenschau?

SOLDAT Also vorwärts.

BARBLIN Was ist das?

SOLDAT Vorwärts. Alle müssen vor die Judenschau. Vorwärts.

Andri wird abgeführt.

SOLDAT Judenhure!

Vordergrund

Der Doktor tritt an die Zeugenschranke.

DOKTOR Ich möchte mich kurz fassen, obschon vieles zu
berichtigen wäre, was heute geredet wird. Nachher ist es
immer leicht zu wissen, wie man sich hätte verhalten
sollen, abgesehen davon, daß ich, was meine Person betrifft, wirklich nicht weiß, warum ich mich anders hätte
verhalten sollen. Was hat unsereiner denn eigentlich getan? Überhaupt nichts. Ich war Amtsarzt, was ich heute
noch bin. Was ich damals gesagt haben soll, ich erinnere
mich nicht mehr, es ist nun einmal meine Art, ein Andorraner sagt, was er denkt – aber ich will mich kurz
fassen ... Ich gebe zu: Wir haben uns damals alle getäuscht, was ich selbstverständlich nur bedauern kann.
Wie oft soll ich das noch sagen? Ich bin nicht für Greuel,
ich bin es nie gewesen. Ich habe den jungen Mann übrigens nur zwei- oder dreimal gesehen. Die Schlägerei, die
später stattgefunden haben soll, habe ich nicht gesehen.
Trotzdem verurteile ich sie selbstverständlich. Ich kann
nur sagen, daß es nicht meine Schuld ist, einmal abgesehen davon, daß sein Benehmen (was man leider nicht
verschweigen kann) mehr und mehr (sagen wir es offen)
etwas Jüdisches hatte, obschon der junge Mann, mag
sein, ein Andorraner war wie unsereiner. Ich bestreite
keineswegs, daß wir sozusagen einer gewissen Aktuali-
tät erlegen sind. Es war, vergessen wir nicht, eine aufge-
regte Zeit. Was meine Person betrifft, habe ich nie an
Mißhandlungen teilgenommen oder irgend jemand
dazu aufgefordert. Das darf ich wohl vor aller Öffentlichkeit betonen. Eine tragische Geschichte, kein Zweifel. Ich bin nicht schuld, daß es dazu gekommen ist. Ich
glaube im Namen aller zu sprechen, wenn ich, um zum

Schluß zu kommen, nochmals wiederhole, daß wir den Lauf der Dinge – damals – nur bedauern können.

Zwölftes Bild

Platz von Andorra. Der Platz ist umstellt von Soldaten
in schwarzer Uniform. Gewehr bei Fuß, reglos. Die An-
dorraner, wie eine Herde im Pferch, warten stumm, was
geschehen soll. Lange geschieht nichts. Es wird nur ge-   5
flüstert.

DOKTOR Nur keine Aufregung. Wenn die Judenschau vorbei ist, bleibt alles wie bisher. Kein Andorraner hat etwas zu fürchten, das haben wir schwarz auf weiß. Ich
bleibe Amtsarzt, und der Wirt bleibt Wirt, Andorra   10
bleibt andorranisch . . . *Trommeln*
GESELLE Jetzt verteilen sie ⌈die schwarzen Tücher⌉.
Es werden schwarze Tücher ausgeteilt.
DOKTOR Nur jetzt kein Widerstand.
Barblin erscheint, sie geht wie eine Verstörte von Grup-   15
pe zu Gruppe, zupft die Leute am Ärmel, die ihr den
Rücken kehren, sie flüstert etwas, was man nicht ver-
steht.
WIRT Jetzt sagen sie plötzlich, er sei keiner.
JEMAND Was sagen sie?   20
WIRT Er sei keiner.
DOKTOR Dabei sieht man's auf den ersten Blick.
JEMAND Wer sagt das?
WIRT Der Lehrer.
DOKTOR Jetzt wird es sich ja zeigen.   25
WIRT Jedenfalls hat er den Stein geworfen.
JEMAND Ist das erwiesen?
WIRT Erwiesen!?
DOKTOR Wenn er keiner ist, wieso versteckt er sich denn?
Wieso hat er Angst? Wieso kommt er nicht auf den Platz   30
wie unsereiner?
WIRT Sehr richtig.

DOKTOR Wieso soll er keiner sein?

WIRT Sehr richtig.

JEMAND Sie haben ihn gesucht die ganze Nacht, heißt es.

DOKTOR Sie haben ihn gefunden.

JEMAND Ich möchte auch nicht in seiner Haut stecken.

WIRT Jedenfalls hat er den Stein geworfen –

Sie verstummen, da ein schwarzer Soldat kommt, sie müssen die schwarzen Tücher in Empfang nehmen. Der Soldat geht weiter.

DOKTOR Wie sie einem ganzen Volk diese Tücher verteilen: ohne ein lautes Wort! ⌈Das nenne ich Organisation.⌉ Seht euch das an! Wie das klappt.

JEMAND Die stinken aber. *Sie schnuppern an ihren Tüchern.*

Angstschweiß . . .

Barblin kommt zu der Gruppe mit dem Doktor und dem Wirt, zupft sie am Ärmel und flüstert, man kehrt ihr den Rücken, sie irrt weiter.

JEMAND Was sagt sie?

DOKTOR Das ist ja Unsinn.

WIRT Das wird sie teuer zu stehen kommen.

DOKTOR Nur jetzt kein Widerstand.

Barblin tritt zu einer andern Gruppe, zupfte sie am Ärmel und flüstert, man kehrt ihr den Rücken, sie irrt weiter.

WIRT Wenn ich es mit eignen Augen gesehen hab! Hier an dieser Stelle. Erwiesen? Er fragt, ob das erwiesen sei. Wer sonst soll diesen Stein geworfen haben?

JEMAND Ich frag ja bloß.

WIRT Einer von uns vielleicht?

JEMAND Ich war nicht dabei.

WIRT Aber ich!

DOKTOR *legt den Finger auf den Mund.*

WIRT Hab ich vielleicht den Stein geworfen?

DOKTOR Still.

WIRT – ich?

DOKTOR Wir sollen nicht sprechen.

WIRT Hier, genau an dieser Stelle, bitte sehr, hier lag der Stein, ich hab ihn ja selbst gesehen, ein Pflasterstein, ein loser Pflasterstein, und so hat er ihn genommen –

Der Wirt nimmt einen Pflasterstein.

– so . . .

Hinzu tritt der Tischler.

TISCHLER Was ist los?

DOKTOR Nur keine Aufregung.

TISCHLER Wozu die schwarzen Tücher?

DOKTOR Judenschau.

TISCHLER Was sollen wir damit?

Die schwarzen Soldaten, die den Platz umstellen, präsentieren plötzlich das Gewehr: ein Schwarzer, in Zivil, geht mit flinken kurzen Schritten über den Platz.

DOKTOR Das war er.

TISCHLER Wer?

DOKTOR Der Judenschauer.

Die Soldaten schmettern das Gewehr bei Fuß.

WIRT – und wenn der sich irrt?

DOKTOR Der irrt sich nicht.

WIRT – was dann?

DOKTOR Wieso soll er sich irren?

WIRT – aber gesetzt den Fall: was dann?

DOKTOR Der hat den Blick. Verlaßt euch drauf! Der riecht's. Der sieht's am bloßen Gang, wenn einer über den Platz geht. Der sieht's an den Füßen.

JEMAND Drum sollen wir die Schuh ausziehen?

DOKTOR Der ist als Judenschauer geschult.

Barblin erscheint wieder und sucht Gruppen, wo sie noch nicht gewesen ist, sie findet den Gesellen, zupft ihn am Ärmel und flüstert, der Geselle macht sich los.

GESELLE Du laß mich in Ruh!

Der Doktor steckt sich einen Zigarillo an.

Zwölftes Bild

Die ist ja übergeschnappt. Keiner soll über den Platz gehn, sagt sie, dann sollen sie uns alle holen. Sie will ein Zeichen geben. Die ist ja übergeschnappt.

Ein schwarzer Soldat sieht, daß der Doktor raucht, und tritt zum Doktor, das Gewehr mit aufgepflanztem Bajonett* stoßbereit, der Doktor erschrickt, wirft seinen Zigarillo aufs Pflaster, zertritt ihn und ist bleich.

GESELLE Sie haben ihn gefunden, heißt es ...

Trommeln

Jetzt geht's los.

Sie ziehen die Tücher über den Kopf.

WIRT Ich zieh kein schwarzes Tuch über den Kopf!

JEMAND Wieso nicht?

WIRT Das tu ich nicht!

GESELLE Befehl ist Befehl.

WIRT Wozu das?

DOKTOR Das machen sie überall, wo einer sich versteckt. Das habt ihr davon. Wenn wir ihn ausgeliefert hätten sofort –

Der Idiot erscheint.

WIRT Wieso hat der kein schwarzes Tuch?

JEMAND Dem glauben sie's, daß er keiner ist.

Der Idiot grinst und nickt, geht weiter, um überall die Vermummten zu mustern und zu grinsen. Nur der Wirt steht noch unvermummt.

WIRT Ich zieh kein schwarzes Tuch über den Kopf!

VERMUMMTER Dann wird er ausgepeitscht.

WIRT – ich?

VERMUMMTER Er hat das gelbe Plakat nicht gelesen.

WIRT Wieso ausgepeitscht?

Trommelwirbel

VERMUMMTER Jetzt geht's los.

VERMUMMTER Nur keine Aufregung.

VERMUMMTER Jetzt geht's los.

Trommelwirbel

auf das Gewehr aufgesetzte Stoßwaffe für den Nahkampf

WIRT Ich bin der Wirt. Warum glaubt man mir nicht? Ich
bin der Wirt, jedes Kind weiß, wer ich bin, ihr alle, euer
Wirt . . .

VERMUMMTER Er hat Angst!

WIRT Erkennt ihr mich denn nicht? 5

VERMUMMTE Er hat Angst, er hat Angst!

Einige Vermummte lachen.

WIRT Ich zieh kein schwarzes Tuch über den Kopf . . .

VERMUMMTER Er wird ausgepeitscht.

WIRT Ich bin kein Jud! 10

VERMUMMTER Er kommt in ein Lager.

WIRT Ich bin kein Jud!

VERMUMMTER Er hat das gelbe Plakat nicht gelesen.

WIRT Erkennt ihr mich nicht? Du da? Ich bin der Wirt.
Wer bist du? Das könnt ihr nicht machen. Ihr da! Ich bin 15
der Wirt, ich bin der Wirt. Erkennt ihr mich nicht? Ihr
könnt mich nicht einfach im Stich lassen. Du da. Wer bin
ich?

*Der Wirt hat den Lehrer gefaßt, der eben mit der Mutter
erschienen ist, unvermummt.* 20

LEHRER Du bist's, der den Stein geworfen hat?

Der Wirt läßt den Pflasterstein fallen.

LEHRER Warum sagst du, mein Sohn hat's getan?

*Der Wirt vermummt sich und mischt sich unter die Ver-
mummten, der Lehrer und die Mutter stehen allein.* 25

LEHRER Wie sie sich alle vermummen!

Pfiff

VERMUMMTER Was soll das bedeuten?

VERMUMMTER Schuh aus.

VERMUMMTER Wer? 30

VERMUMMTER Alle.

VERMUMMTER Jetzt?

VERMUMMTER Schuh aus, Schuh aus.

VERMUMMTER Wieso?

VERMUMMTER Er hat das gelbe Plakat nicht gelesen . . . 35

Alle Vermummten knien nieder, um ihre Schuhe auszu-
ziehen, Stille, es dauert eine Weile.

LEHRER Wie sie gehorchen!

Ein schwarzer Soldat kommt, auch der Lehrer und die
Mutter müssen ein schwarzes Tuch nehmen.

VERMUMMTER Ein Pfiff, das heißt: Schuh aus. Laut Plakat.
Und zwei Pfiff, das heißt: marschieren.

VERMUMMTER Barfuß?

VERMUMMTER Was sagt er?

VERMUMMTER Schuh aus, Schuh aus.

VERMUMMTER Und drei Pfiff, das heißt: Tuch ab.

VERMUMMTER Wieso Tuch ab?

VERMUMMTER Alles laut Plakat.

VERMUMMTER Was sagt er?

VERMUMMTER Alles laut Plakat.

VERMUMMTER Was heißt zwei Pfiff?

VERMUMMTER Marschieren?

VERMUMMTER Wieso barfuß?

VERMUMMTER Und drei Pfiff, das heißt: Tuch ab.

VERMUMMTER Wohin mit den Schuhn?

VERMUMMTER Wieso Tuch ab?

VERMUMMTER Wohin mit den Schuhn?

VERMUMMTER Tuch ab, das heißt: das ist der Jud.

VERMUMMTER Alles laut Plakat.

VERMUMMTER Kein Andorraner hat etwas zu fürchten.

VERMUMMTER Was sagt er?

VERMUMMTER Kein Andorraner hat etwas zu fürchten.

VERMUMMTER Wohin mit den Schuhn?

Der Lehrer, unvermummt, tritt mitten unter die Ver-
mummten und ist der einzige, der steht.

LEHRER Andri ist mein Sohn.

VERMUMMTER Was können wir dafür.

LEHRER Hört ihr, was ich sage?

VERMUMMTER Was sagt er?

VERMUMMTER Andri sei sein Sohn.

VERMUMMTER Warum versteckt er sich denn?

LEHRER Ich sage: Andri ist mein Sohn.

VERMUMMTER Jedenfalls hat er den Stein geworfen.

LEHRER Wer von euch sagt das?

VERMUMMTER Wohin mit den Schuhn?

LEHRER Warum lügt ihr? Einer von euch hat's getan. Warum sagt ihr, mein Sohn hat's getan –

Trommelwirbel

Wer unter ihnen der Mörder ist, sie untersuchen es nicht. Tuch drüber! Sie wollen's nicht wissen. Tuch darüber! Daß einer sie fortan bewirtet mit Mörderhänden, es stört sie nicht. Wohlstand ist alles! Der Wirt bleibt Wirt, der Amtsarzt bleibt Amtsarzt. Schau sie dir an! wie sie ihre Schuhe richten in Reih und Glied. Alles laut Plakat! Und einer von ihnen ist doch ein Meuchelmörder*. Tuch darüber! Sie hassen nur den, der sie daran erinnert –

Trommelwirbel

Ihr seid ein Volk! Herrgott im Himmel, den es nicht gibt zu eurem Glück, ihr seid ein Volk!

Auftritt der Soldat mit der Trommel.

SOLDAT Bereit?

Alle Vermummten erheben sich, ihre Schuhe in der Hand.

SOLDAT Die Schuh bleiben am Platz. Aber ordentlich! Wie bei der Armee. Verstanden? Schuh neben Schuh. Wird's? Die Armee ist verantwortlich für Ruhe und Ordnung. Was macht das für einen Eindruck! Ich habe gesagt: Schuh neben Schuh. Und hier wird nicht gemurrt.

Der Soldat prüft die Reihe der Schuhe.

Die da!

VERMUMMTER Ich bin der Wirt.

SOLDAT Zu weit hinten!

Der Vermummte richtet seine Schuhe aus.

SOLDAT Ich verlese nochmals die Order.

heimtückischer Mörder

Ruhe

SOLDAT »Bürger von Andorra! Die Judenschau ist eine
Maßnahme zum Schutze der Bevölkerung in befreiten
Gebieten, beziehungsweise zur Wiederherstellung von
Ruhe und Ordnung. Kein Andorraner hat etwas zu
fürchten. Ausführungsbestimmungen siehe gelbes Plakat.« Ruhe! »Andorra, 15. September. Der Oberbe-
fehlshaber.« – Wieso haben Sie kein Tuch überm Kopf?

LEHRER Wo ist mein Sohn?

SOLDAT Wer?

LEHRER Wo ist Andri?

SOLDAT Der ist dabei, keine Sorge, der ist uns nicht durch
die Maschen gegangen. Der marschiert. Barfuß wie alle
andern.

LEHRER Hast du verstanden, was ich sage?

SOLDAT Ausrichten! Auf Vordermanngehen!

LEHRER Andri ist mein Sohn.

SOLDAT Das wird sich jetzt zeigen –

Trommelwirbel

SOLDAT Ausrichten!

Die Vermummten ordnen sich.

SOLDAT Also, Bürger von Andorra, verstanden: 's wird
kein Wort geredet, wenn der Judenschauer da ist. Ist das
klar? Hier geht's mit rechten Dingen zu, das ist wichtig.
Wenn gepfiffen wird: stehenbleiben auf der Stelle. Verstanden? Achtungstellung wird nicht verlangt. Ist das
klar? Achtungstellung macht nur die Armee, weil sie's
geübt hat. Wer kein Jud ist, ist frei. Das heißt: Ihr geht
sofort an die Arbeit. Ich schlag die Trommel.

Der Soldat tut es.

Und so einer nach dem andern. Wer nicht stehenbleibt,
wenn der Judenschauer pfeift, wird auf der Stelle er-
schossen. Ist das klar?

Glockenbimmeln

LEHRER Wo bleibt der Pater in dieser Stunde?

SOLDAT Der betet wohl für den Jud!

LEHRER Der Pater weiß die Wahrheit –

Auftritt der Judenschauer

SOLDAT Ruhe!

Die schwarzen Soldaten präsentieren das Gewehr und 5
verharren in dieser Haltung, bis der Judenschauer, der
sich wie ein schlichter Beamter benimmt, sich auf den
Sessel gesetzt hat inmitten des Platzes. Gewehr bei Fuß.
Der Judenschauer nimmt seinen Zwicker* ab, putzt ihn,
setzt ihn wieder auf. Auch der Lehrer und die Mutter 10
sind jetzt vermummt. Der Judenschauer wartet, bis das
Glockenbimmeln verstummt ist, dann gibt er ein Zei-
chen; zwei Pfiffe.

SOLDAT Der erste!

Niemand rührt sich. 15

Los, vorwärts, los!

Der Idiot geht als erster.

Du doch nicht!

Angstgelächter unter den Vermummten

Ruhe! 20

Trommelschlag

Was ist denn los, verdammt nochmal, ihr sollt über den
Platz gehen wie gewöhnlich. Also los – vorwärts!

Niemand rührt sich.

Kein Andorraner hat etwas zu fürchten . . . 25

Barblin, vermummt, tritt vor.

Hierher!

Barblin tritt vor den Judenschauer und wirft ihm das
schwarze Tuch vor die Stiefel.

Was soll das? 30

BARBLIN Das ist das Zeichen.

Bewegung unter den Vermummten.

BARBLIN Sag's ihm: Kein Andorraner geht über den Platz!
Keiner von uns! Dann sollen sie uns peitschen. Sag's
ihm! Dann sollen sie uns alle erschießen. 35

Altmodische
Brille, die auf
die Nase ge-
klemmt wird.

Zwei schwarze Soldaten fassen Barblin, die sich vergeblich wehrt. Niemand rührt sich. Die schwarzen Soldaten ringsum haben ihre Gewehre in den Anschlag genommen. Alles lautlos. Barblin wird weggeschleift.

SOLDAT ... Also los jetzt. Einer nach dem andern. Muß man euch peitschen? Einer nach dem andern.

Jetzt gehen sie.

Langsam, langsam!

Wer vorbei ist, zieht das Tuch vom Kopf.

Die Tücher werden zusammengefaltet. Aber ordentlich! hab ich gesagt. Sind wir ein Saustall hierzuland? Das Hoheitszeichen kommt oben rechts. Was sollen unsre Ausländer sich denken!

Andere gehen zu langsam.

Aber vorwärts, daß es Feierabend gibt.

Der Judenschauer mustert ihren Gang aufmerksam, aber mit der Gelassenheit der Gewöhnung und von seiner Sicherheit gelangweilt. Einer strauchelt über den Pflasterstein.

Schaut euch das an!

VERMUMMTER Ich heiße Prader.

SOLDAT Weiter.

VERMUMMTER Wer hat mir das Bein gestellt?

SOLDAT Niemand.

Der Tischler nimmt sein Tuch ab.

SOLDAT Weiter, sag ich, weiter. Der Nächste. Und wer vorbei ist, nimmt sofort seine Schuh. Muß man euch alles sagen, Herrgott nochmal, wie in einem Kindergarten?

Trommelschlag

TISCHLER Jemand hat mir das Bein gestellt.

SOLDAT Ruhe.

Einer geht in falscher Richtung.

SOLDAT Wie die Hühner, also wie die Hühner!

Einige, die vorbei sind, kichern.

VERMUMMTER Ich bin der Amtsarzt.

SOLDAT Schon gut, schon gut.

DOKTOR *nimmt sein Tuch ab.*

SOLDAT Nehmen Sie Ihre Schuh.

DOKTOR Ich kann nicht sehen, wenn ich ein Tuch über dem Kopf habe. Das bin ich nicht gewohnt. Wie soll ich gehen, wenn ich keinen Boden sehe!

SOLDAT Weiter, sag ich, weiter.

DOKTOR Das ist eine Zumutung!

SOLDAT Der Nächste.

Trommelschlag

SOLDAT Könnt ihr eure verdammten Schuh nicht zuhaus anziehen? Wer frei ist, hab ich gesagt, nimmt seine Schuh und verschwindet. Was steht ihr da herum und gafft?

Trommelschlag

SOLDAT Der Nächste.

DOKTOR Wo sind meine Schuhe? Jemand hat meine Schuhe genommen. Das sind nicht meine Schuhe.

SOLDAT Warum nehmen Sie grad die?

DOKTOR Sie stehen an meinem Platz.

SOLDAT Also wie ein Kindergarten!

DOKTOR Sind das vielleicht meine Schuhe?

Trommelschlag

DOKTOR Ich gehe nicht ohne meine Schuhe.

SOLDAT Jetzt machen Sie keine Krämpfe!*

DOKTOR Ich gehe nicht barfuß. Das bin ich nicht gewohnt. Und sprechen Sie anständig mit mir. Ich lasse mir diesen Tonfall nicht gefallen.

SOLDAT Also was ist denn los?

DOKTOR Ich mache keine Krämpfe.

SOLDAT Ich weiß nicht, was Sie wollen.

DOKTOR Meine Schuhe.

Der Judenschauer gibt ein Zeichen; ein Pfiff.

SOLDAT Ich bin im Dienst!

Machen Sie keine Umstände!

Zwölftes Bild

Trommelschlag
SOLDAT Der Nächste.
Niemand rührt sich.
DOKTOR Das sind nicht meine Schuhe!
SOLDAT *nimmt ihm die Schuhe aus der Hand.*
DOKTOR Ich beschwere mich, jawohl, ich beschwere mich, jemand hat meine Schuhe vertauscht, ich gehe keinen Schritt und wenn man mich anschnauzt, schon gar nicht.
SOLDAT Wem gehören diese Schuh?
DOKTOR Ich heiße Ferrer –
SOLDAT Wem gehören diese Schuh?
Er stellt sich vorne an die Rampe.
's wird sich ja zeigen!
DOKTOR Ich weiß genau, wem die gehören.
SOLDAT Also weiter!
Trommelschlag
SOLDAT Der Nächste.
Niemand rührt sich.
DOKTOR – ich habe sie.
Niemand rührt sich.
SOLDAT Wer hat denn jetzt wieder Angst?
Sie gehen wieder einer nach dem andern, das Verfahren ist eingespielt, so daß es langweilig wird. Einer von denen, die vorbeigegangen sind vor dem Judenschauer und das Tuch vom Kopf nehmen, ist der Geselle.
GESELLE Wie ist das mit dem Hoheitszeichen?
EINER Oben rechts.
GESELLE Ob er schon durch ist?
Der Judenschauer gibt wieder ein Zeichen; drei Pfiffe.
SOLDAT Halt!
Der Vermummte steht.
Tuch ab.
Der Vermummte rührt sich nicht.
Tuch ab, Jud, hörst du nicht!

Der Soldat tritt zu dem Vermummten und nimmt ihm
das Tuch ab, es ist der Jemand, starr vor Schrecken.
Der ist's nicht. Der sieht nur so aus, weil er Angst hat.
Der ist es nicht. So hab doch keine Angst! Der sieht
nämlich ganz anders aus, wenn er lustig ist . . .   5
Der Judenschauer hat sich erhoben, umschreitet den Je-
mand, mustert lang und beamtenhaft – unbeteiligt – ge-
wissenhaft. Der Jemand entstellt sich zusehends. Der
Judenschauer hält ihm seinen Kugelschreiber unters
Kinn.   10
SOLDAT Kopf hoch, Mensch, starr nicht wie einer!
Der Judenschauer mustert noch die Füße, setzt sich wie-
der und gibt einen nachlässigen Wink.
SOLDAT Hau ab, Mensch!
Entspannung in der Menge   15
DOKTOR Der irrt sich nicht. Was hab ich gesagt? Der irrt
sich nie, der hat den Blick . . .
Trommelschlag
SOLDAT Der Nächste.
Sie gehen wieder im Gänsemarsch   20
Was ist denn das für eine Schweinerei, habt ihr kein eig-
nes Taschentuch, wenn ihr schwitzt, ich muß schon
sagen!
Ein Vermummter nimmt den Pflasterstein.
Heda, was macht denn der?   25
VERMUMMTER Ich bin der Wirt –
SOLDAT Was kümmert Sie dieser Pflasterstein?
VERMUMMTER Ich bin der Wirt – ich – ich –
Der Wirt bleibt vermummt.
SOLDAT Scheißen Sie deswegen nicht in die Hose!   30
Es wird da und dort gekichert, wie man über eine beliebe-
te lächerliche Figur kichert, mitten in diese bängliche
Heiterkeit hinein fällt der dreifache Pfiff auf das Zei-
chen des Judenschauers.
Halt. –   35

Der Lehrer nimmt sein Tuch ab.
Nicht Sie, der dort, der andre!
Der Vermummte rührt sich nicht.
Tuch ab!
Der Judenschauer erhebt sich.
DOKTOR Der hat den Blick. Was hab ich gesagt? Der sieht's
    am Gang . . .
SOLDAT Drei Schritt vor!
DOKTOR Er hat ihn . . .
SOLDAT Drei Schritt zurück.
Der Vermummte gehorcht.
Lachen!
DOKTOR Er hört's am Lachen . . .
SOLDAT Lachen! oder sie schießen.
Der Vermummte versucht zu lachen.
Lauter!
Der Vermummte versucht zu lachen.
DOKTOR Wenn das kein Judenlachen ist . . .
Der Soldat stößt den Vermummten.
SOLDAT Tuch ab, Jud, es hilft dir nichts. Tuch ab. Zeig dein
    Gesicht. Oder sie schießen.
LEHRER Andri?!
SOLDAT Ich zähl auf drei.
Der Vermummte rührt sich nicht.
SOLDAT Eins –
LEHRER Nein!
SOLDAT Zwei –
Der Lehrer reißt ihm das Tuch ab.
SOLDAT Drei . . .
LEHRER Mein Sohn!
Der Judenschauer umschreitet und mustert Andri.
LEHRER Er ist mein Sohn!
*Der Judenschauer mustert die Füße, dann gibt er ein
Zeichen, genauso nachlässig wie zuvor, aber ein anderes
Zeichen, und zwei schwarze Soldaten übernehmen
Andri.*

TISCHLER Gehn wir.

MUTTER *tritt vor und nimmt ihr Tuch ab.*

SOLDAT Was will jetzt die?

MUTTER Ich sag die Wahrheit.

SOLDAT Ist Andri dein Sohn?

MUTTER Nein.

SOLDAT Hört ihr's! Hört ihr's?

MUTTER Aber Andri ist der Sohn von meinem Mann –

WIRT Die soll's beweisen.

MUTTER Das ist wahr. Und Andri hat den Stein nicht geworfen, das weiß ich auch, denn Andri war zu Haus, als
das geschehn ist. Das schwör ich. Ich war selbst zu
Haus. Das weiß ich und das schwör ich bei Gott, dem
Allmächtigen, der unser Richter ist in Ewigkeit.

WIRT Sie lügt.

MUTTER Laßt ihn los.

Der Judenschauer erhebt sich nochmals.

SOLDAT Ruhe!

*Der Judenschauer tritt nochmals zu Andri und wieder-
holt die Musterung, dann kehrt er die Hosentaschen von
Andri, Münzen fallen heraus, die Andorraner weichen
vor dem rollenden Geld, als ob es Lava wäre, der Soldat
lacht.*

SOLDAT Judengeld.

DOKTOR Der irrt sich nicht . . .

LEHRER Was Judengeld? Euer Geld, unser Geld. Was habt
ihr denn andres in euren Taschen?

Der Judenschauer betastet das Haar.

LEHRER Warum schweigst du?!

ANDRI *lächelt.*

LEHRER Er ist mein Sohn, er soll nicht sterben, mein Sohn,
mein Sohn!

*Der Judenschauer geht, die Schwarzen präsentieren das
Gewehr; der Soldat übernimmt die Führung.*

SOLDAT Woher dieser Ring?

TISCHLER Wertsachen hat er auch . . .

SOLDAT Her damit!

ANDRI Nein.

SOLDAT Also her damit!

ANDRI Nein – bitte . . .

SOLDAT Oder sie hauen dir den Finger ab.

ANDRI Nein! Nein!

  Andri setzt sich zur Wehr.

TISCHLER Wie er sich wehrt um seine Wertsachen . . .

DOKTOR Gehn wir . . .

  *Andri ist von schwarzen Soldaten umringt und nicht zu
  sehen, als man seinen Schrei hört, dann Stille.
  Andri wird abgeführt.*

LEHRER Duckt euch. Geht heim. Ihr wißt von nichts. Ihr
  habt es nicht gesehen. Ekelt euch. Geht heim vor euren
  Spiegel und ekelt euch.

  *Die Andorraner verlieren sich nach allen Seiten, jeder
  nimmt seine Schuhe.*

SOLDAT Der braucht jetzt keine Schuhe mehr.

  Der Soldat geht.

JEMAND Der arme Jud. –

WIRT Was können wir dafür.

  *Der Jemand geht ab, die anderen gehen in Richtung auf
  die Pinte.*

TISCHLER Mir einen Korn.

DOKTOR Mir auch einen Korn.

TISCHLER Da sind noch seine Schuh.

DOKTOR Gehn wir hinein.

TISCHLER Das mit dem Finger ging zu weit . . .

  *Tischler, Doktor und Wirt verschwinden in der Pinte.
  Die Szene wird dunkel, das Orchestrion fängt von selbst
  an zu spielen, die immergleiche Platte. Wenn die Szene
  wieder hell wird, kniet Barblin und weißelt das Pflaster
  des Platzes; Barblin ist geschoren. Auftritt der Pater.
  Die Musik hört auf.*

BARBLIN Ich weißle, ich weißle.

PATER Barblin!

BARBLIN Warum soll ich nicht weißeln, Hochwürden, das
Haus meiner Väter?

PATER Du redest irr. 5

BARBLIN Ich weißle.

PATER Das ist nicht das Haus deines Vaters, Barblin.

BARBLIN Ich weißle, ich weißle.

PATER Es hat keinen Sinn.

BARBLIN Es hat keinen Sinn. 10

Auftritt der Wirt.

WIRT Was macht denn die hier?

BARBLIN Hier sind seine Schuh.

WIRT *will die Schuh holen.*

BARBLIN Halt! 15

PATER Sie hat den Verstand verloren.

BARBLIN Ich weißle, ich weißle. Was macht ihr hier? Wenn
ihr nicht seht, was ich sehe, dann seht ihr: Ich weißle.

WIRT Laß das!

BARBLIN Blut, Blut, Blut überall. 20

WIRT Das sind meine Tische!

BARBLIN Meine Tische, deine Tische, unsre Tische.

WIRT Sie soll das lassen!

BARBLIN Wer bist du?

PATER Ich habe schon alles versucht. 25

BARBLIN Ich weißle, ich weißle, auf daß wir ein weißes
Andorra haben, ihr Mörder, ein schneeweißes Andorra,
ich weißle euch alle – alle.

Auftritt der ehemalige Soldat.

BARBLIN Er soll mich in Ruhe lassen, Hochwürden, er hat 30
ein Aug auf mich, Hochwürden, ich bin verlobt.

SOLDAT Ich habe Durst.

BARBLIN Er kennt mich nicht.

SOLDAT Wer ist die?

BARBLIN Die Judenhure Barblin. 35

SOLDAT Verschwinde!

BARBLIN Wer bist du?

Barblin lacht.

Wo hast du deine Trommel?

5 SOLDAT Lach nicht!

BARBLIN ⌐Wo hast du meinen Bruder hingebracht?⌐

Auftritt der Tischler mit dem Gesellen.

BARBLIN Woher kommt ihr, ihr alle, wohin geht ihr, ihr
alle, warum geht ihr nicht heim, ihr alle, ihr alle, und

10 hängt euch auf?

TISCHLER Was sagt sie?

BARBLIN Der auch!

WIRT Die ist übergeschnappt.

SOLDAT Schafft sie doch weg.

15 BARBLIN Ich weißle.

TISCHLER Was soll das?

BARBLIN Ich weißle, ich weißle.

Auftritt der Doktor.

BARBLIN Haben Sie einen Finger gesehn?

20 DOKTOR *sprachlos.*

BARBLIN Haben Sie keinen Finger gesehn?

SOLDAT Jetzt aber genug!

PATER Laßt sie in Ruh.

WIRT Sie ist ein öffentliches Ärgernis.

25 TISCHLER Sie soll uns in Ruh lassen.

WIRT Was können wir dafür.

GESELLE Ich hab sie ja gewarnt.

DOKTOR Ich finde, sie gehört in eine Anstalt.

BARBLIN *starrt.*

30 PATER Ihr Vater hat sich im Schulzimmer erhängt. Sie
sucht ihren Vater, sie sucht ihr Haar, sie sucht ihren
Bruder.

Alle, außer Pater und Barblin, gehen in die Pinte.

PATER Barblin, hörst du, wer zu dir spricht?

35 BARBLIN *weißelt das Pflaster.*

PATER Ich bin gekommen, um dich heimzuführen.

BARBLIN Ich weißle.

PATER Ich bin der Pater Benedikt.

BARBLIN *weißelt das Pflaster.*

PATER Ich bin der Pater Benedikt.

BARBLIN Wo, Pater Benedikt, bist du gewesen, als sie unsern Bruder geholt haben wie Schlachtvieh, wie Schlachtvieh, wo? Schwarz bist du geworden, Pater Benedikt . . .

PATER *schweigt.*

BARBLIN Vater ist tot.

PATER Das weiß ich, Barblin.

BARBLIN Und mein Haar?

PATER Ich bete für Andri jeden Tag.

BARBLIN Und mein Haar?

PATER Dein Haar, Barblin, wird wieder wachsen –

BARBLIN Wie das Gras aus den Gräbern.

Der Pater will Barblin wegführen, aber sie bleibt plötzlich stehen und kehrt zu den Schuhen zurück.

PATER Barblin – Barblin . . .

BARBLIN Hier sind seine Schuh. Rührt sie nicht an! Wenn er wiederkommt, das hier sind seine Schuh.

›Anmerkungen *zu* Andorra‹

Namen: Die folgenden Namen werden auf der letzten Silbe betont: Barblin, Andri, Prader, Ferrer, Fedri. Hingegen wird auf der ersten Silbe betont: Peider.

Kostüm: Das Kostüm darf nicht folkloristisch sein. Die Andorraner tragen heutige Konfektion, es genügt, daß ihre Hüte eigentümlich sind, und sie tragen fast immer Hüte. Eine Ausnahme ist der Doktor, sein Hut ist Weltmode. Andri trägt blue-jeans. Barblin trägt, auch wenn sie zur Prozession geht, Konfektion, dazu einen Schal mit andorranischer Stickerei. Alle tragen weiße Hemden, niemand eine Krawatte, ausgenommen wieder der Doktor. Die Senora, als einzige, erscheint elegant, aber nicht aufgedonnert. Die Uniform der andorranischen Soldaten ist olivgrau. Bei der Uniform der Schwarzen ist jeder Anklang an die Uniform der Vergangenheit zu vermeiden.

Typen: Einige Rollen können zur Karikatur verführen. Das sollte unter allen Umständen vermieden werden. Es genügt, daß es Typen sind. Ihre Darstellung sollte so sein, daß der Zuschauer vorerst zur Sympathie eingeladen wird, mindestens zur Duldung, indem alle harmlos erscheinen, und daß er sich immer etwas spät von ihnen distanziert, wie in Wirklichkeit.

Bild: Das Grundbild für das ganze Stück ist der Platz von Andorra. Gemeint ist ein südländischer Platz, nicht pittoresk, kahl, weiß mit wenigen Farben unter finsterblauem Himmel. Die Bühne soll so leer wie möglich sein. Ein Prospekt im Hintergrund deutet an, wie man sich Andorra vorzustellen hat; auf der Spielfläche steht nur, was die Schauspieler brauchen. Alle Szenen, die nicht auf dem Platz von Andorra spielen, sind davorgestellt. Kein Vorhang zwischen den Szenen, nur Verlegung des Lichts auf den Vordergrund. Es braucht kein Anti-Illusionismus demonstriert zu werden, aber der Zuschauer soll daran erinnert bleiben, daß ein Modell gezeigt wird, wie auf dem Theater eigentlich immer.

(1961)

Notizen von den Proben

Die Geste

Beim Sprechen erst – nicht im Leben, wo wir die Menschen
meistens schon zu einem gewissen Grad kennen und selbst
in die Situation verstrickt sind, uns also in erster Linie auf
die Mitteilung selbst ausrichten und erst in zweiter Linie
darauf, Menschen zu beobachten; aber auf der Bühne, wo
wir nur beobachten und die Menschen beim Aufgehen des
Vorhangs überhaupt noch nicht kennen – zeigt sich, wie
sehr die Geste vonnöten ist, um die fast uferlose Mißdeut-
barkeit unserer Worte einzuschränken. Das schauspieleri-
sche Talent: die Geste zu finden, dadurch die Lesart der
Worte. Wer schreibt, hält die Lesart immer schon für gegeben. Er hört von innen, was jetzt von außen hörbar werden muß. Daß unsere Sprache, die geschriebene, immer
erst ein Raster der Möglichkeiten darstellt, das ist der
Schock der ersten Proben: man findet sich selber mißver-
ständlich. Dann plötzlich eine Geste, und die Figur ist da,
die die Worte auf sich zu beziehen vermag, nicht nur die
Worte, auch das Schweigen, das in jeder Figur ein so großer
Raum ist, aber kein leerer und kein beliebiger Raum sein
darf; die Geste, die wir im Leben kaum beachten, die Art
schon, wie einer zum Glas greift oder wie er geht, ich sage
nicht, daß sie wichtiger ist als die Worte, aber entscheidend
dafür, ob die Worte zu einem Menschen gehören, den es
gibt, oder ob sie auf der Bühne verloren sind. Dabei kann
die Geste, die der Schauspieler anbietet, für den Verfasser
sehr unerwartet sein. Nur in wenigen Punkten, oft in ne-
bensächlichen, weiß ich, wie eine Figur sich bewegt; ich
kenne die Figur oder meine sie zu kennen, aber erst der
Schauspieler zeigt sie mir von außen, und es ist ein Gefühl,
wie wenn ein Mensch, dessen Schicksal ich insgeheim ken-

ne und vielleicht sogar besser als er, ins Zimmer tritt, und man wird einander vorgestellt. Ist er's wirklich? Manchmal muß ich auch meine Kenntnis ändern; seine Geste widerlegt mich, belehrt mich, und sein Text (mein Text) hat unrecht. Oder umgekehrt: der Text verwirft die Geste wie 5 von selbst, bis sie stimmt.

Text:

Sätze, die ursprünglich in einem andern Kontext gestanden haben, fallen schon bei den ersten Proben heraus; ein richtiger Bezug, ein logischer etwa, genügt noch lange 10 nicht; viele Bezüge (oft sehr unlogische) tragen das Wort, oder genauer gesagt: sie erlauben die Geste, die das Wort trägt. Eine Szene ist bei aller nötigen Bewußtheit doch nur aus der Geste heraus zu schreiben, einer Geste, die ich nicht vormachen kann; aber sie muß dem Text zugrunde liegen, 15 damit er spielbar sei. Dann, wenn er sich als spielbar erweist, staune ich oft über Bezüge, die mir nie bewußt gewesen sind; der Text stimmt, wenn er eine Geste zuläßt, die seine Bezüge umfaßt.

Der Schrei 20

Andri vor der Kammer der Barblin, der Soldat kommt, Andri schläft; laut Text: nachdem der Soldat seine Stiefel abgestreift hat, steigt er über Andri hinweg und verschwindet in der finstern Kammer. – Das geht nicht, das Ausziehen der Stiefel; schon beim bloßen Markieren denkt man 25 an Fußschweiß. Überhaupt hängt von dieser Pantomime, wie der Soldat über den schlafenden Andri in die Kammer kommt, vieles ab. Hat Barblin ihn bestellt? Oder kann der Soldat auch nur hoffen, daß sie ihn uneingestandenerweise erwartet? Da kein Text gesprochen wird, ist alles offen. 30 Kommt der Soldat zum erstenmal? Als Vergewaltiger? Oder ist das schon ein Brauch (nur Andri und wir wissen's

noch nicht, was sich tut) mit Einverständnis? Der stumme Gang, den der Soldat hier zu spielen hat, entscheidet über das Wesen der Barblin. Ein lehrreicher Fall: Barblin, in dieser Szene nicht sichtbar, kann vorher und nachher spielen,
5 wie sie will, unsere Meinung über sie wird entstehen in einer Szene, da sie selbst nicht auf der Bühne ist, also ohnmächtig, in einer Pantomime zudem, also zwischen den Zeilen. Die Schauspielerin Barblin ist dem Schauspieler Soldat ausgeliefert. Ob sie eine Hure ist, schnöd, oder eine
10 Verzweifelte, die es in eine Art von Selbstzerstörung drängt, oder nur ein Opfer, eine Vergewaltigte, hier wird es nicht gesagt, aber gezeigt, und das Gezeigte wird stärker als das Gesagte oder Verschwiegene. Ich habe am Schreibtisch gewußt, wie ich's meine, aber nicht, daß hier, im Gang des
15 Soldaten, ganz andere Meinungen aufkommen können. Wir machen es so: der Soldat, als er den schlafenden Andri sieht, erschrickt, zögert, sieht sich um, zeigt, daß er zum erstenmal hier ist, ein dreister Einbrecher, ängstlich, daß er ertappt werde; aber Andri schläft, der Soldat hat sich so-
20 weit genähert, daß er, wenn Andri jetzt erwacht, jedenfalls ertappt wäre, Pech, dazu Neugierde, ob es wirklich die Kammer der Barblin ist, er versucht die Türe lautlos zu öffnen, dazu muß er über Andri hinwegschreiten, Girren der Türe, jetzt ist er schon soweit, daß er, verlockt vom
25 Gelingen, aber nicht ohne einen bänglichen Blick in die finstere Kammer, wo er nicht weiß, was ihn erwartet, plötzlich in ihre Kammer tritt, atemlos, Flucht ins Dunkle, Stille, und so weiter. Ferner:

Am Schluß derselben Szene, als Andri die Türe auf-
30 sprengen will, hat Barblin, laut Buch, einen Schrei auszustoßen. – Auch das geht nicht. Die Schauspielerin, die hinter der Wand steht, um diesen Schrei zu liefern, ist unglücklich, ohne zu wissen warum. Es sei ihr nicht wohl bei diesem Schrei, und sie hat recht. Wir sitzen vorne und er-
35 leben (einmal mehr) den Unterschied zwischen Bühne und

Erzählung; dieser Schrei, ausgeführt, hat eine unvermutete Wirkung: ihre Stimme, wie immer sie sei, liefert den Körper des Mädchens in einem Grad, der jetzt unerträglich ist, der Schrei zieht sie aus, und ich frage mich, wie sie auf dem Bett liegt, das ist unvermeidlich. Das will ich aber nicht wissen; die Szene, jetzt, will etwas andres zeigen: wie Andri sich verraten fühlt, was immer auch da hinten geschehen sein mag oder nicht. (»Barblin schreit«, ein Satz, der in der Erzählung überhaupt keine Leiblichkeit herstellt; als Erzähler brauchte ich ganz andere Sätze, um soviel körperliche Nacktheit zu beschwören, wie der bloße Schrei einer Unsichtbaren, ausgeführt auf der Bühne, es vermag.) Also der Schrei wird gestrichen.

PS.: Nach der Aufführung melden sich die Zuschauer bekümmert, was sie von dieser Barblin nun zu halten haben, und wenn die Unklarheit, ob sie den Soldaten hat haben wollen oder nicht, meines Erachtens auch nicht einen Schwerpunkt der Fabel betrifft, so ist sie doch bedauerlich; sie schwächt, wie jede noch so nebensächliche Unklarheit, das Interesse für das Klare und erlaubt dem Zuschauer, daß er sich mit Nebensachen befaßt. Der Schrei, der nicht ging, fehlt nun doch. Ihr Stummbleiben ist mißdeutbar. Ich ändere nochmals: Barblin schreit – aber zu einem andern Zeitpunkt, nicht am Ende der Szene, sondern kurz nach dem Eintritt des Soldaten, sie will schreien, der Soldat hält ihr sofort den Mund zu; das kennzeichnet ihn als Vergewaltiger, ohne daß ihr Schrei jetzt, bevor etwas geschehen sein kann, die nackte Leiblichkeit anliefert, und am Schluß der Szene, wenn der Soldat in die Türe tritt, erscheint er als ein Einbrecher, der nicht zu seinem Ziel gekommen ist, gerade deswegen bösartig.

Links und rechts

Als Student hörte ich eine Vorlesung von Professor Wölff-
lin, eine der letzten, die er hielt: Das Links und Rechts im
Bilde. Eine berühmte Radierung von Rembrandt, seiten-
5 verkehrt auf die Leinwand projiziert, war ein schlagendes
Beispiel dafür, daß Links und Rechts nicht vertauschbar
sind; abgesehen davon, daß die Komposition plötzlich
nicht mehr überzeugte, vielleicht weil man an die andere
schon gewöhnt ist, das Bild mit den Bäumen vor dem gro-
10 ßen Himmel hatte plötzlich keine Tageszeit mehr, Abend
von der falschen Seite, eine rätselhafte Wetterstimmung,
und so weiter. Ein andres Beispiel liefert bekanntlich der
Prado: im Saal, wo das berühmte Ateliergemälde von Ve-
lazquez zu sehen ist, steht in der Ecke ein Spiegel, und was
15 der Betrachter im Spiegel wiedersieht, verblüfft nicht nur
durch die Verkleinerung, es ist ganz einfach nicht mehr das
Bild, das lebt, formtreu und farbtreu, aber in sich selbst
verrückt, unselbstverständlich, zufällig, beliebig. Es gibt
eine Richtung des Lesens, des Schauens, eine Richtung des
20 Eintritts und eine Richtung des Austritts, das heißt nicht,
daß die Bewegung im Bild nicht widerläufig sein kann, aber
dann ist sie anders eben dadurch, daß sie widerläufig ist;
wie ein Mensch sich anders bewegt, ob er mit dem Wind
oder gegen den Wind geht. In der Architektur dasselbe;
25 jeder Photomacher weiß, daß eine berühmte Baugruppe,
seitenverkehrt kopiert, manchmal kaum wieder zu erkennen ist, und nicht nur das, sondern vor allem: dieselbe
Treppe, die von links oben nach rechts unten fällt (jeder
Betrachter wird sagen, sie führe von oben nach unten),
30 steigt im seitenverkehrten Bild von links unten nach rechts
oben (jeder Betrachter wird sagen, die Treppe steige), und
das wiederum bedeutet, daß ich zu den Menschen, die sich
auf der Treppe bewegen, ein andres Verhältnis habe ...
Dasselbe gilt auf der Bühne. Es gibt Schauspieler, die das

spüren. Heute ein gutes Beispiel: eine kleine Szene, die eigentlich keine ist, nicht unwichtig, aber eine Szene, die nicht aus Handlung, sondern nur aus Mitteilung und Frage besteht, also nicht durch Bewegung auffallen soll, wird aus überzeugenden Gründen probeweise umgestellt, nicht in Bewegung gebracht, nur seitenverkehrt gestellt – und es ist schlecht, man erwartet jetzt Handlung, die nicht kommt, und sieht nur, daß keine Szene entsteht, und die Mitteilung fällt durch, wie trefflich sie auch gesprochen würde; man vermißt, was nicht gewollt ist; man ist ungeduldig und unbefriedigt, weil die Stellung jetzt, wenn auch noch so reglos, schon Bewegung enthält und Bewegung erwarten läßt. Also: man muß auf die erste Stellung zurück. Hirschfeld hatte recht. Die unbewußte Empfindung hatte recht.

Der Pfahl

Lange Zeit, jahrelang, wollte ich, um die große Form herzustellen, einen Häftling am Pfahl – als chorisches Element durch das ganze Stück: seine Arie der Verzweiflung. In der Oper, mag sein, wäre es möglich, aber nicht im Schauspiel, auch nicht, wenn die Überhöhung durch Verse hinzukäme. Ich mußte das aufgeben, und es blieb der leere Pfahl auf der Bühne, wartend auf den Verfolgten, der am Schluß daran gerichtet wird. So das Buch. Als die Proben begannen, brauchte Hirschfeld nicht lang zu reden, um mich zu überzeugen, daß die Hinrichtung des Helden, vorgeführt auf der Bühne, nur eine Schwächung wäre durch Gruseligkeit; wir wissen ja, daß der Darsteller Peter Brogle nicht getötet wird durch den Schuß, den wir hören, und es genügt zu wissen, daß Andri getötet wird. Die Hinrichtung wurde gestrichen; es blieb der leere Pfahl auf der Bühne. Ich habe auch den Pfahl gestrichen – im Augenblick, da die Bühnenarbeiter ihn hinstellten – und bin froh drum, er hat mich

Notizen von den Proben

jahrelang viel Arbeit gekostet, viel Text. Aber vor allem: gerade dadurch, daß wir den Pfahl nicht mehr mit Augen sehen, sondern nur noch durch die Worte des bestürzten Vaters, wird der Pfahl wieder, was er sein sollte, Symbol.

Die Schuhe

Von einem Paar Schuhe, die allein auf der Bühne stehen, verlangt das Stück, daß sie den Verschleppten, dem diese Schuhe gehört haben, gegenwärtig machen. Man stellt die Schuhe hin, und ich bin enttäuscht; die erhoffte Wirkung bleibt aus. (Der Verfasser, wenn er sein Stück zum erstenmal sieht, ist auf viele Ausfälle gefaßt; ich habe mich halt wieder getäuscht . . .) Eines Tages nimmt ein Schauspieler, ein wirklicher, diese Schuhe zur Hand, weil er sie anderswohin stellen soll, und stellt sie nicht nur anderswohin, sondern anders: nicht parallel, sondern verschoben. Wir verstehen den Unterschied erst, als wir ihn sehen. Zwei Schuhe, parallel, sind Schuhe im Kleiderschrank oder im Schaufenster, nichts weiter. Jetzt aber, plötzlich, sind sie mehr: ich sehe Standbein und Spielbein, ich sehe den Menschen, der geholt und getötet worden ist. Rührt seine Schuhe nicht an!

Stellprobe

Das ist mein achtes Stück, das ich in Proben sehe – mein Kardiogramm verläuft wie immer: Ausschläge großen leichten Entzückens am Anfang der Proben, wenn vieles sich bewährt, wenn die Bühne, jetzt noch im Arbeitslicht und ohne Dekoration, den Plan bewahrheitet. Es ist das Entzücken am Rohbau. Zum Beispiel: Hirschfeld stellt oder setzt die Figuren der ersten Szene auf der Piazza, der

Lehrer sitzt, und sein Text verrät noch nicht das Gewicht der Figur, einer unter andern, aber er bleibt sitzen, die andern gehen und kommen und gehen, der Tischler, der Wirt, der Pater, die Tochter, die Prozession. Einmal, im Tasten der ersten Proben, erhebt sich der Darsteller des Lehrers zu einem augenblicklich sinnvollen Gang; es erweist sich als falsch, er muß (das Buch behält hier recht) sitzen bleiben, um zur Achse des kommenden Geschehens zu werden, vorerst nur optisch. Später schreibe ich, vom Angebot des Darstellers beglückt, eine kleine Szene dazu, die nichts andres leistet als eine spätere Wiederholung seines Sitzens am selben Ort, verbunden mit der Wiederholung eines Ganges, den mir der Darsteller (Ernst Schröder) als Grundgestus der Figur angeboten hat. Änderungen im Zustand des Rohbaus, nicht anders als in der Architektur: man sieht und setzt eine Wand ein oder ein Fenster. Der Ablauf des Spiels, so roh es noch ist, regt an. Die neue Szene (sechstes Bild) wird vom Blatt probiert; der Gewinn: die Handlung erfrischt sich, indem einmals nichts geschieht, die Stagnation tut wohl, es geschieht ja nicht immer etwas. Das Nichtige, zeigt sich, verschärft das Wichtige, und so weiter.

Probieren ist herrlich!

Kostüme

Ein andrer Darsteller (Rolf Henniger) kommt mit einem Fahrrad und mit einem Taschentuch in der Hand, es genügt, um ihn als Pater zu sehen. Ohne Kostüm; die sorgliche Ohnmacht des guten Willens, die Altjüngferlichkeit eines jungen Geistlichen, er macht es durch Darstellungskunst, und es fehlt nichts. Es ist schön, Spiel, ein lauteres Spiel. Noch sind die Kostüme nicht geschneidert. Er spielt einen Pater, der sich, während er spricht, zur Messe umkleidet: mit Gesten, nichts weiter. Der Sinn ist da; es ge-

Notizen von den Proben

nügt, daß der Darsteller, in seinem privaten Straßenanzug, eine Bibel zur Hand nimmt und ein Darsteller ist, der seine Figur sieht. (Ich habe ähnliches auch bei Proben fremder Stücke erlebt: ein Orestes spielt die Hauptprobe, da die Schneiderei versagt hat, im Trainingsanzug und ist stärker als alle, die ihm im Kostüm entgegentreten.) Aber dann, nach Wochen des Entzückens, kommen die Kostüme – es muß ja sein – und damit jedesmal mein Nervenzusammenbruch, obschon die Kostüme, wohlverstanden, durchaus richtig sind, genau wie besprochen. Der Pater kommt in schwarzer Soutane, der Soldat mit Stiefeln und Gurt, und ich komme mir vor wie Kaiser Wilhelm, als er sagte: »Das habe ich nicht gewollt!« Ich kann's nicht fassen. Ihr wart doch so gut, Freunde, fünf Wochen lang! Und übermorgen ist die Premiere. Ich möchte abreisen, nichts mit Theater zu tun haben, ich schweige und schäme mich. So war es jedesmal, ich vergesse es, und dann ist es wieder so, Theater ohne Magie, unwürdig, eine kindische Verstellerei, Mummenschanz, Klamotte – Teo Otto wird mich nicht mißverstehen . . . Ich finde die Kostüme trefflich, die wir haben. Aber müssen sie sein? Orest im Trainer, das wäre eine Marotte, Hamlet im Frack, alles schon dagewesen. Dennoch träume ich nach diesem Schock (man hat ihn freilich nur, wenn man die Proben gesehen hat und den Verlust an Magie sieht aus dem Vergleich) jedesmal von einem Theater, das um der Wahrheit willen, die nur durch Spiel herzustellen ist, nichts vorgibt; wir wissen's ja, daß nicht ein Pater auftritt, sondern Herr Henniger, nicht ein Soldat, sondern Herr Beck. Vor allem sind es die Kostüme eines Amtes, die mich erschrecken wie etwas Unanständiges, genauer: die Vollständigkeit der Insignien. Verfremdung ist ein Slogan geworden, doch meine ich nichts andres, nichts Neues, wenn ich an die großen (verlorenen) Wirkungen der Proben denke; man müßte dahin zurück, ohne freilich einen »Einfall« daraus zu machen, ohne nouvelle vague, ohne programmatischen Aufhebens, zurück zu der Wirkung: zehn Statisten, teils in Pullovern und teils in Lumberjacks, halten ihre hölzernen und gegen alle Wahrscheinlichkeit mit roter Farbe bemalten Maschinenpistolen, schauerlich. Das Unglaubliche, beispielsweise ein Schauspieler in einer Bekleidung, die kein Kostüm ist, versehen aber mit einer Krone, um den König zu spielen, ist Theater; alles Weitere, was an königlichem Kostüm hinzukommt, verweist ihn in den Bezirk peinlicher Unglaubwürdigkeit. Brecht hat einmal, zusammen mit Neher, einen Versuch in diese Richtung gemacht, als er die Figuren seiner Antigone in einer Bekleidung auftreten ließ, die nicht bedeutend ist, nur fremd, nämlich in Sacktuch. Die meisten Kostüme nehmen etwas vorweg, verdecken die Figur durch unser Vorurteil und verschütten das Lebendige, das nur durch Wort und Geste zu erspielen ist. Ich weiß nicht, wie man es machen soll; ausgehen von der Erfahrung bei Proben –

Die Schranke

Das Buch verlangt, daß jeder Andorraner einmal aus der Handlung heraustritt, um sich von heute aus zu rechtfertigen – oder formal gesprochen: um die Handlung, die eben auf der Bühne vor sich geht, in die Ferne zu rücken und dem Zuschauer zu helfen, daß er sie von ihrem Ende her, also als Ganzes, beurteilen kann . . . Ja, sagt ein Schauspieler, aber wie wird das dem Zuschauer klar? Wir beraten, was der Verfasser noch nicht bedacht hat, die Machart, daß es keine Conférence wird, sondern daß die Figur sich selbst bleibt, spricht, als stünde sie an einer Zeugenschranke. Also: nehmen wir eine Schranke. Wo soll sie stehen? Der erste Schauspieler, der, nur um zu probieren, mit einer losen Schranke auftritt, überzeugt uns, daß die Schranke nicht verschraubt, sondern lose sein muß; das hebt die Illu-

sion auf, die falsch wäre, die Illusion, daß die Recht-
fertigung und die Geschichte gleichzeitig stattfinden. Die
Zeitspanne dazwischen läßt sich verdeutlichen durch das
Kostüm: der Soldat ist nicht mehr Soldat, sondern er-
5 scheint als Zivilist im Regenmantel, den er sich rasch
überzieht. Wohin sprechen? Die Andorraner sitzen im
Parkett, nicht Richter, sondern ebenfalls Zeugen; der Zeuge, der spricht, wendet sich also nicht an den Zuschauer,
sondern spricht parallel zur Rampe. Später dann, bei der
10 Beleuchtungsprobe, ergibt sich ein Weiteres: wenn das
Licht von der Szene verschwindet, Dunkel, bis der Scheinwerfer auf den Zeugen fällt, entsteht erstens ein Loch, eine
schwarze Pause, zweitens erscheint jetzt der Zeuge (anders
als bisher bei Arbeitslicht, wo es uns gefallen hat) wie in
15 einem metaphysischen Raum, und das ist nicht gemeint.
Vorschlag des Bühnenbildners: wir lassen die Szene, die
eben zu Ende ist, nicht in Dunkel fallen, sondern halten sie
in gedämpftem Licht, davor der Zeuge im Scheinwerfer.
Und man hat genau, was der Verfasser gemeint hat – ge-
20 meint, ja, aber nicht in der Machart entworfen – nämlich:
Konfrontation des heutigen Zeugen mit dem geschichtli-
chen Tatort.

Solche Arbeit ist vergnüglich.

Neuralgische Punkte

25 Der betrunkene Soldat schlägt dem »Jud« sein Geld aus der
Hand; laut Buch: Andri starrt den Betrunkenen an, dann
kniet er aufs Pflaster und sammelt sein Geld. Dazu sagt der
Soldat: So ein Jud denkt alleweil nur ans Geld! In diesem
Augenblick kennen wir Andri noch kaum; die Art und
30 Weise, wie er nun sein Geld sammelt – gierig oder beiläufig,
in seinem Schweigen beschäftigt mit dem Geldverlust oder
mit der Kränkung durch Vorurteil – prägt die Figur in we-

nigen Sekunden, das heißt in diesen Sekunden wird das Vorzeichen zu seinem späteren Text gesetzt. So viele Vorzeichen werden pantomimisch gesetzt! – richtig oder verhängnisvoll . . . Regie: ihre besten Leistungen sind unauffällig und bestehen darin, daß der Zuschauer, sofern er klug und willig ist, auf dem laufenden gehalten wird, ohne sich belehrt zu fühlen, wie selbstverständlich.

(1962)

Kommentar

Zeittafel

1911 Geburt am 15. Mai in Zürich. Mutter: Karolina Bettina Frisch, geb. Wildermuth. Vater: Franz Bruno Frisch, Architekt. Geschwister: Emma Elisabeth aus der ersten Ehe des Vaters, Franz (1903–1978).

1924 Eintritt ins Kantonale Realgymnasium.

1930 Germanistikstudium an der Universität Zürich.

1931–34 Journalistische Arbeiten.

1932 Tod des Vaters.

1933 Als Sportreporter in Prag bei der Eishockeyweltmeisterschaft. Reisen in Osteuropa.

1934 Erste Buchveröffentlichung: *Jürg Reinhart. Eine sommerliche Schicksalsfahrt.*

1935 Erste Reise nach Deutschland; Konfrontation mit der nationalsozialistischen Rassenideologie.

1936 Beginn des Architekturstudiums an der Eidgenössischen Technischen Hochschule Zürich; sein Jugendfreund Werner Coninx gewährt ihm dafür ein Darlehen.

1937 Die Erzählung *Antwort aus der Stille* erscheint.

1939–1945 Aktiver Dienst in der Schweizer Armee als Kanonier; insgesamt 650 Diensttage.

1940 *Blätter aus dem Brotsack*. Diplom als Architekt.

1941 Anstellung als Architekt.

1942 Ehe mit Gertrud (Trudy) Constanze von Meyenburg. Gründung eines eigenen Architekturbüros; er gewinnt den ersten Preis im Architekturwettbewerb um das städtische Freibad am Letzigraben.

1943 Geburt der Tocher Ursula. *J'adore ce qui me brûle oder Die Schwierigen.*

1944 Geburt des Sohnes Hans Peter. Frisch beginnt, Dramen zu schreiben.

1945 *Nun singen sie wieder* wird als erstes Stück von Frisch am Zürcher Schauspielhaus uraufgeführt. *Bin oder Die Reise nach Peking.*

1946 Reisen, u. a. nach Deutschland. *Santa Cruz* und *Die Chinesische Mauer* werden uraufgeführt.

1947 Reisen, u. a. nach Deutschland. Bekanntschaft mit Bertolt Brecht (1898–1956), Friedrich Dürrenmatt (1921–1990) und Peter Suhrkamp (1891–1959). Bau des Schwimmbads am Letzigraben bis 1949. *Tagebuch mit Marion.*

1948 Reisen nach Berlin, Prag und Warschau. Teilnahme am »Congrès mondial des intellectuels pour la paix« im polnischen Wrozław; weitere Teilnehmer sind u. a. Le Corbusier, Picasso und Karl Barth.

1949 *Als der Krieg zu Ende war* am Zürcher Schauspielhaus uraufgeführt. Geburt der Tochter Charlotte.

1950 *Tagebuch 1946–1949* erscheint im neugegründeten Suhrkamp Verlag.

1951 *Graf Öderland* am Zürcher Schauspielhaus uraufgeführt. Einjähriger Aufenthalt als Stipendiat der Rockefeller-Stiftung in den USA (New York, Chikago, San Francisco, Los Angeles).

1953 *Don Juan oder Die Liebe zur Geometrie* gleichzeitig in Zürich und Berlin uraufgeführt. Rundfunkfassung von *Herr Biedermann und die Brandstifter* im Bayerischen Rundfunk gesendet.

1954 *Stiller.* Trennung von der Familie.

1955 Verkauf des Architekturbüros.

1957 *Homo faber.* Reise nach Griechenland und in die arabischen Staaten.

1958 *Biedermann und die Brandstifter* am Zürcher Schauspielhaus uraufgeführt. Georg-Büchner-Preis. Eröffnung der Frankfurter Buchmesse mit der Rede *Öffentlichkeit als Partner.* Bekanntschaft mit Ingeborg Bachmann (1926–1973).

1959 Scheidung von Constanze Frisch-von Meyenburg.

1960 Frisch zieht nach Rom, lebt dort bis 1962 zusammen mit Ingeborg Bachmann.

1961 *Andorra* am Zürcher Schauspielhaus uraufgeführt.

1962 Er lernt Marianne Oellers (* 1939) kennen, mit der er in den folgenden Jahren zusammenlebt.

1964 *Mein Name sei Gantenbein.*

1965 Er kehrt von Rom in die Schweiz, nach Berzona, zurück.

1966   Erste Reise in die UdSSR. Tod der Mutter.
1968   *Biografie: Ein Spiel* uraufgeführt. Heirat mit Marianne
       Oellers. Zweite Reise in die UdSSR.
1969   Reise nach Japan.
1971   *Wilhelm Tell für die Schule*. USA-Aufenthalt.
1972   *Tagebuch 1966–1971*. Wohnung in Berlin.
1974   *Dienstbüchlein*. USA-Aufenthalt. Beziehung zu Alice
       Locke-Carey (* 1943).
1975   *Montauk*.
1976   Friedenspreis des Deutschen Buchhandels. Reise nach
       China. *Gesammelte Werke in zeitlicher Folge*.
1978   *Triptychon. Drei szenische Bilder*.
1979   *Der Mensch erscheint im Holozän*. Scheidung von Ma-
       rianne Oellers.
1981   Wohnsitz in New York und Berzona.
1982   *Blaubart. Eine Erzählung*.
1983   *Forderungen des Tages. Portraits, Skizzen, Reden 1943–
       1982*.
1984   Wohnung in Zürich.
1987   Reise nach Moskau.
1989   *Schweiz ohne Armee? Ein Palaver*.
1990   *Schweiz als Heimat? Versuche über 50 Jahre*.
1991   Am 4. April stirbt Max Frisch in seiner Wohnung in Zü-
       rich.

Entstehungs- und Textgeschichte

Die Beschäftigung mit einem Kleinstaat namens Andorra taucht im Werk Max Frischs schon sehr früh auf. Am 21.12.1932 hatte Frisch in der *Neuen Zürcher Zeitung* den Erzählband *Andorranische Abenteuer* von Marieluise Fleißer (1901–1974) besprochen: »Andorra ist winzig an Ausmaß, reich an Drolligkeiten« (vgl. Bänzinger 1985, S. 22), heißt es in seiner Rezension. In dieser Wortwahl ist bereits eine spezielle Faszination durch den Gegenstand spürbar, die im späteren Theaterstück deutlich wurde: Andorra als nochmals verkleinertes Modell der kleinen Schweiz.

Keimzelle des Stücks

Die eigentliche Keimzelle des Stücks aber findet sich im *Tagebuch 1946–1949*. Frisch hat diesen Zusammenhang im Programmheft der Zürcher Uraufführung im Januar 1961 beschrieben:

> »Die Fabel. Sie ist erfunden und ich erinnere mich in diesem Fall sogar, wann und wo sie mir eingefallen ist: 1946, im Café de la Terrasse, Zürich, vormittags. Geschrieben als Prosaskizze, veröffentlicht im *Tagebuch 1946–1949*, betitelt ›Der andorranische Jude‹« (vgl. Schmitz/Wendt, S. 41).

Der andorranische Jude

Diese Skizze lautet:

> »In Andorra lebte ein junger Mann, den man für einen Juden hielt. Zu erzählen wäre die vermeintliche Geschichte seiner Herkunft, sein täglicher Umgang mit den Andorranern, die in ihm den Juden sehen: das fertige Bildnis, das ihn überall erwartet. Beispielsweise ihr Mißtrauen gegenüber seinem Gemüt, das ein Jude, wie auch die Andorraner wissen, nicht haben kann. Er wird auf die Schärfe seines Intellektes verwiesen, der sich eben dadurch schärft, notgedrungen. Oder sein Verhältnis zum Geld, das in Andorra auch eine große Rolle spielt: er wußte, er spürte, was alle wortlos dachten; er prüfte sich, ob es wirklich so war, daß er stets an das Geld denke, er prüfte sich, bis er entdeckte, daß es stimmte, es war so in der Tat, er dachte stets an das Geld. Er gestand es; er stand dazu, und die Andorraner blickten sich an, wortlos, fast ohne ein Zucken der Mundwinkel. Auch in Dingen des Va-

terlandes wußte er genau, was sie dachten; sooft er das Wort in den Mund genommen, ließen sie es liegen wie eine Münze, die in den Schmutz gefallen ist. Denn der Jude, auch das wußten die Andorraner, hat Vaterländer, die er wählt, die er kauft, aber nicht ein Vaterland wie wir, nicht ein zugeborenes, und wiewohl er es meinte, wenn es um andorranische Belange ging, er redete in ein Schweigen hinein, wie in Watte. Später begriff er, daß es ihm offenbar an Takt fehlte, ja, man sagte es ihm einmal rundheraus, als er, verzagt über ihr Verhalten, geradezu leidenschaftlich wurde. Das Vaterland gehörte den andern, ein für allemal, und daß er es lieben könnte, wurde von ihm nicht erwartet, im Gegenteil, seine beharrlichen Versuche und Werbungen öffneten nur eine Kluft des Verdachtes; er buhlte um eine Gunst, um einen Vorteil, um eine Anbiederung, die man als Mittel zum Zweck empfand auch dann, wenn man selber keinen möglichen Zweck erkannte. So wiederum ging es, bis er eines Tages entdeckte, mit seinem rastlosen und alles zergliedernden Scharfsinn entdeckte, daß er das Vaterland wirklich nicht liebte, schon das bloße Wort nicht, das jedesmal, wenn er es brauchte, ins Peinliche führte. Offenbar hatten sie recht. Offenbar konnte er überhaupt nicht lieben, nicht im andorranischen Sinn; er hatte die Hitze der Leidenschaft, gewiß, dazu die Kälte seines Verstandes, und diesen empfand man als eine immer bereite Geheimwaffe seiner Rachsucht; es fehlte ihm das Gemüt, das Verbindende; es fehlte ihm, und das war unverkennbar, die Wärme des Vertrauens. Der Umgang mit ihm war anregend, ja, aber nicht angenehm, nicht gemütlich. Es gelang ihm nicht, zu sein wie alle andern, und nachdem er es umsonst versucht hatte, nicht aufzufallen, trug er sein Anderssein sogar mit einer Art von Trotz, von Stolz und lauernder Feindschaft dahinter, die er, da sie ihm selber nicht gemütlich war, hinwiederum mit einer geschäftigen Höflichkeit überzuckerte; noch wenn er sich verbeugte, war es eine Art von Vorwurf, als wäre die Umwelt daran schuld, daß er ein Jude ist –
Die meisten Andorraner taten ihm nichts.
Also auch nichts Gutes.
Auf der andern Seite gab es auch Andorraner eines freieren

und fortschrittlicheren Geistes, wie sie es nannten, eines Geistes, der sich der Menschlichkeit verpflichtet fühlte: sie achteten den Juden, wie sie betonten, gerade um seiner jüdischen Eigenschaften willen, Schärfe des Verstandes und so weiter. Sie standen zu ihm bis zu seinem Tode, der grausam gewesen ist, so grausam und ekelhaft, daß sich auch jene Andorraner entsetzten, die es nicht berührt hatte, daß schon das ganze Leben grausam war. Das heißt, sie beklagten ihn eigentlich nicht, oder ganz offen gesprochen: sie vermißten ihn nicht – sie empörten sich nur über jene, die ihn getötet hatten, und über die Art, wie das geschehen war, vor allem die Art.
Man redete lange davon.
Bis es sich eines Tages zeigt, was er selber nicht hat wissen können, der Verstorbene: daß er ein Findelkind gewesen, dessen Eltern man später entdeckt hat, ein Andorraner wie unsereiner –
Man redete nicht mehr davon.
Die Andorraner aber, sooft sie in den Spiegel blickten, sahen mit Entsetzen, daß sie selber die Züge des Judas tragen, jeder von ihnen.

Du sollst dir kein Bildnis machen, heißt es, von Gott. Es dürfte auch in diesem Sinne gelten: Gott als das Lebendige in jedem Menschen, das, was nicht erfaßbar ist. Es ist eine Versündigung, die wir, so wie sie an uns begangen wird, fast ohne Unterlaß wieder begehen –
Ausgenommen wenn wir lieben« (GW II,372ff.).

Motive des Stücks

In diesem Text klingen fast alle Motive des späteren Stücks an: die Bildnisproblematik, das tragische Ende des angeblichen Juden, die Identitätsfrage, der Bezug zum Nationalsozialismus, sogar die spätere Verdrängung der Schuld unter den Andorranern. Allein die Familiengeschichte, wie Frisch sie dann in *Andorra* entwickelt, ist in der Skizze noch nicht angelegt. Im Unterschied zum Drama stirbt Andri in der Skizze, bevor er und die Andorraner seine eigentliche Herkunft erfahren.
Aufschlussreich ist das *Tagebuch 1946–1949* aber nicht nur aufgrund dieses Entwurfs, sondern auch wegen des gesamten Kon-

texts, in dem er steht. »Der andorranische Jude« befindet sich zwischen zwei Beiträgen, die Frischs Reise durch das Deutschland von 1946 beschreiben. Er bettet die Geschichte des andorranischen Juden also in einen aktuellen Zusammenhang, der zu der zeitenthobenen Form der Skizze ein konkretes Gegengewicht bildet. Das *Tagebuch 1946–1949* bewegt sich so zwischen zeitgeschichtlicher Genauigkeit und parabelhafter Verallgemeinerung, Frisch verbindet den Blick des den Ereignissen verbundenen Zeitzeugen mit dem des weit entfernten, den Stoff durchdringenden Interpreten.

Auch das Modell Andorra wird im *Tagebuch 1946–1949* bereits entwickelt:

Modell Andorra

> »Andorra ist ein kleines Land, sogar ein sehr kleines Land, und schon darum ist das Volk, das darin lebt, ein sonderbares Volk, ebenso mißtrauisch wie ehrgeizig, mißtrauisch gegen alles, was aus den eigenen Tälern kommt. [. . .] Das Mißtrauen –. Die andorranische Angst, Provinz zu sein, wenn man einen Andorraner ernst nähme; nichts ist provinzieller als diese Angst«,

beginnt der Text »Marion und die Marionetten« (GW II,352). Hier ist Frischs Auseinandersetzung mit der Schweiz, dem Land seiner Herkunft, unter dem Namen »Andorra« deutlich zu erkennen. Er führt damit die Linie fort, die er bereits in der Besprechung von Marieluise Fleißers *Andorranische Abenteuer* eingeschagen hatte: Andorra ist ein klein wenig kurioser als die wirkliche Schweiz, das Vorbild wird zur Kenntlichkeit entstellt.

Frischs weitere Arbeit an dem Drama ist durch zahlreiche Äußerungen des Autors recht genau nachvollziehbar. 1957 begann er sich wieder mit dem *Andorra*-Komplex zu beschäftigen. Allerdings begann er nicht sofort mit der Niederschrift. Im Gespräch mit dem Schriftsteller Horst Bienek (1930–1990) sagte er dazu: »Erschöpft vom *Homo faber*, der eben fertig war, fühlte ich mich nicht fähig, sogleich an das große Stück vom andorranischen Juden zu gehen« (vgl. Bienek, S. 32).

Im Mai 1958 aber begann er dann wirklich mit der Ausarbeitung eines Stücks nach dem 1946 im *Tagebuch* angelegten Stoff. Im Programmheft zur Zürcher Uraufführung 1961 schreibt Frisch dazu:

Ausarbeitung des Stücks

»1957, als das Zürcher Schauspielhaus zur Feier seines zwan-
zigjährigen Bestehens sich nach neuen Stücken umsah, schien
mir das Thema für den Anlaß geeignet. Ich hatte aber viele
Jahre nicht mehr für die Bühne gearbeitet, eine Einübung
schien vonnöten. Zu diesem Zweck entstand *Biedermann
und die Brandstifter*, 1958, als Versuch, auf der Bühne kon-
kreter zu werden, dinglicher, die Reflexion zurückzunehmen,
zugunsten des theatralischen Augenscheins. Unmittelbar darauf begann die Arbeit am neuen Stück, zufällig auf Ibiza;
daher die weißen kahlen Kulissen. Die erste Fassung befrie-
digte mich nicht, aber das Stück war schon angezeigt; es folg-
te eine zweite Fassung, eine dritte, dann Rückzug des Stük-
kes, um frei zu werden für andere Arbeiten. Inzwischen war
das Jubiläum des Zürcher Schauspielhauses vorbei« (vgl.
Schmitz/Wendt, S. 41).

Im Gespräch mit Bienek präzisierte Frisch den Weg von der Skizze zum Drama:

»Erst nach Jahren, nachdem ich die erwähnte Tagebuchskiz-
ze mehrere Male vorgelesen hatte, entdeckte ich, daß das ein
großer Stoff ist, so groß, daß er mir Angst machte, Lust und
Angst zugleich – vor allem aber, nachdem ich mich inzwischen aus meinen bisherigen Versuchen kennengelernt hatte,
sah ich, daß dieser Stoff mein Stoff ist. Gerade darum zögerte
ich lang, wissend, daß man nicht jedes Jahr seinen Stoff findet. Ich habe das Stück fünfmal geschrieben, bevor ich es aus
der Hand gab« (vgl. Bienek, S. 32).

1959 arbeitete Frisch an *Mein Name sei Gantenbein*, 1960 zog
er nach Rom um, wo er noch einmal sieben Wochen mit *Andorra*
zubrachte und das Stück dann im Dezember 1960 abschloss.
Titel des Frisch blieb allerdings mit dem Titel unzufrieden, er hatte »Bei-
Stücks spiel Andorra« oder »Modell Andorra« erwogen und sagte Bienek dazu: »*Andorra* ist kein guter Titel, der bessere fiel mir nicht
ein. Schade! Was den Kleinstaat Andorra betrifft, tröste ich mich
mit dem Gedanken, daß er kein Heer hat, um die Länder, die das
Stück spielen, aus Mißverständnis überfallen zu können« (vgl.
Bienek, S. 33).

Die aufrüttelnde, durchgreifende Wirkung, die *Andorra* im
deutschsprachigen Raum entfaltet hat, lässt sich nur vor dem

zeitgeschichtlichem Hintergrund verstehen. In den Fünfziger- zeitgeschichtlicher Hinter-
grund der
Rezeption
jahren war die Vergangenheit noch nicht einmal annähernd auf-
gearbeitet, Verdrängung und Verleugnung des Nationalsozialismus herrschten vor. Auch das Theater in Deutschland war
längst nicht auf der Höhe der Zeit. Die Ausbürgerung, das Exil
und die Ermordung vieler deutscher Schriftsteller sowie die systematische Abschottung von der ausländischen Entwicklung
während des ›Dritten Reichs‹ hatten zur Auszehrung und Stagnation im deutschen Kulturleben geführt, die bis in die Sechzigerjahre hinein spürbar blieben. Zwei Schweizer, Frisch und
Dürrenmatt, repräsentieren das deutschsprachige Theater, hieß
es damals. Auch das Theater als Institution wurde während des
Naziregimes gleichgeschaltet, so dass einzig das Zürcher Schauspielhaus, die Bühne, der Frisch seine dramatische Entwicklung
verdankt, sich nach dem Krieg auf eine intakte Tradition berufen
konnte.

Erst Mitte der Sechzigerjahre änderte sich – v. a. durch drei Stücke – diese Situation im deutschen Drama grundlegend: durch
Der Stellvertreter (1963) von Rolf Hochhuth (* 1931), *In der
Sache J. Robert Oppenheimer* (1964) von Heinar Kipphardt
(1922–1982) und *Die Ermittlung* (1965) von Peter Weiss (1916–
1982). Erst in den Sechzigerjahren wurden in Deutschland also
das politische Theater wiederbelebt und der Autor als moralische Instanz eingesetzt. Damit aber war das Theater seiner Zeit
noch immer voraus: Was die Politik der Adenauer- und dann
Erhard-Ära nicht leistete, was auch andere Institutionen wie die
Kirche nicht übernahmen, nämlich die Auseinandersetzung mit
der Schuld der Vergangenheit, das musste damals das Theater als
eine Art Gegenöffentlichkeit leisten. Bewusstseinsbildung und
Vergangenheitsbewältigung waren schlichte Erfordernis – das
Theater stellte sich dieser Aufgabe.

Der weitgesteckte zeitgeschichtliche Hintergrund von *Andorra* zeitgeschicht-
licher Hinter-
grund des
Stücks
sind somit die Vernichtung der europäischen Juden durch die
Nazis und die nachfolgende Verdrängung der Schuld. Viele
Stückelemente (Judenschau, Verhalten der andorranischen Mit-
läufer, die Schwarzen) erinnern an das ›Dritte Reich‹ und die
Naziverbrechen. Die Rechtfertigungen der Andorraner in der
Zeugenschranke verweisen direkt auf die Strategien der Schuld-

verdrängung, wie sie in den Fünfziger- und Sechzigerjahren praktiziert wurden.

In der Schweiz stellte sich die Situation etwas anders dar. Zunächst schien die Nazizeit eine Bestätigung der schweizerischen Politik zu bedeuten, die Neutralität hatte sich bewährt, die Schweiz war, umgeben von Barberei, ein Ort der Menschlichkeit geblieben, die moralische Überlegenheit hatte sich in der Flüchtlingspolitik bestätigt. Die Schweiz galt als in sich gefestigt. Man war in den Fünfzigerjahren rundum von der Vortrefflichkeit der Schweiz überzeugt. Diese Einstellung wurde durch *Andorra* massiv in Frage gestellt.

Frischs Verhältnis zur Schweiz

Frisch hat sein Verhältnis zur Schweiz in vielen Stellungnahmen beschrieben. Wie viel davon in das Stück eingeflossen ist, zeigt z. B. seine Festrede zum Nationalfeiertag am 1.8.1957:

> »Ich glaube, die Schweiz hat Angst. Das hängt damit zusammen, daß sie sich wahrscheinlich selber überschätzt. Wir bilden uns alle sehr gern ein, beliebt zu sein in der ganzen Welt, [. . .]. Jeder der eine Rolle spielt, die nicht ganz mit der Wirklichkeit übereinstimmt, muß ja Angst haben und darum erträgt er sehr wenig Kritik« (GW IV,220f.).

Als Ernst Wendt für den von ihm mit Walter Schmitz herausgegebenen Materialienband über *Andorra* Frisch fragte, ob das Stück eigentlich ein schweizerisches Stück sei, antwortete der Autor: »[. . .] *Andorra* hat das schweizerische Publikum getroffen [. . .] – und dies nicht unbeabsichtigt; eine Attacke gegen das pharisäerhafte Verhalten gegenüber der deutschen Schuld: der tendenzielle Antisemitismus in der Schweiz« (vgl. Schmitz/Wendt, S. 19).

Eichmann-Prozess

Wie kein anderes Ereignis der Sechzigerjahre bewegte der Eichmann-Prozess im Zusammenhang mit dem Holocaust die damalige Öffentlichkeit. Adolf Eichmann (1906–1962) war SS-Obersturmbannführer und führte die von den Nazis 1941 beschlossene sog. »Endlösung der Judenfrage« durch mit dem Transport der Mehrzahl der im deutschen Machtbereich lebenden Juden in die Massenvernichtungslager der besetzten Ostgebiete. Der israelische Geheimdienst hatte Eichmann von Argentinien nach Israel entführt. Am 11.4.1961 wurde der Strafprozess vor einer Sonderkammer des Bezirksgerichts Jerusalem eröffnet, die Urteilsverkündung erfolgte am 11.12.1961, die Bestätigung des Urteils durch die Berufungskammer am 29.5.1962. Das Verfahren war das größte seit den Nürnberger Prozessen (1945–1949). Die Anklagebehörde legte umfangreiches dokumentarisches Beweismaterial vor und lud eine große Zahl von Zeugen.

Das enorme Interesse der Weltöffentlichkeit am Eichmann-Prozess stand trotzdem in keiner Relation zu den Neuigkeiten, die das Verfahren erbrachte. Die Gerichtsverhandlung enthüllte zwar noch einmal die grauenhaften Bedingungen, unter denen sich der Mord an den europäischen Juden abgespielt hatte, diese waren aber bereits bekannt. Es musste also um etwas anderes gehen. In Textzeugnissen der frühen Sechzigerjahre erscheint denn Eichmann auch durchgehend als das personifizierte Böse: Bei ihm meinte man zu wissen, woran man war.

Die Philosophin Hannah Arendt (1906–1975), Kind jüdischer Eltern, in Deutschland geboren und dann in die USA ausgewandert, berichtete von diesem Prozess. Daraus entstand der berühmt gewordene *Bericht von der Banalität des Bösen*. Hannah Arendt beschrieb in *Eichmann in Jerusalem* (1964) die Psyche und den Charakter des SS-Mannes. Insbesondere aber kam sie der einfachen, aber auch erschreckenden Einsicht auf die Spur, dass der Holocaust nicht auf systematisch betriebener politischer Planung beruhte. Außerdem erwies sich Eichmann nicht als der Teufel in Menschengestalt, voll ideologischen Fanatismus, den man gern in ihm gesehen hätte, sondern als subalterner Bürokrat, der wenig Eigeninitiative entwickelt hatte.

H. Arendt

Hier, an dieser Stelle, wo sich die persönliche Schuld im Unpersönlichen verflüchtigt, wo sich der Verantwortliche, dessen man durch den Geheimdienst gerade habhaft werden konnte, wieder entzieht, trifft sich Frischs Stück mit der unmittelbaren Zeitgeschichte. *Andorra* ist eine Suche nach dem Punkt, an dem die Schuld beginnt, an dem das Verhängnis seinen Lauf nimmt. Eichmann beteuerte als der Befehlsempfänger, als den er sich sah, immer wieder seine Unschuld, wie die Andorraner in der Zeugenschranke.

So versuchte Frisch auch in einem Brief an den Suhrkamp Verlag vom 10.1.1961 deutlich zu machen, dass es ihm nicht um die

Eichmanns, d. h. die Hauptverbrecher, ging, sondern die überall
zu findende Schuld:

>»Das Stück handelt (soweit es nicht nur das Stück von Andri
ist), nicht von den Eichmanns, sondern von uns und unseren
Freunden, von lauter Nichtkriegsverbrechern, von Halb-
spaß-Antisemiten, d. h. von den Millionen, die es möglich
machten, daß Hitler (um schematisch zu reden) nicht hat
Maler werden müssen. Die Andorraner, denen ich nicht ohne
Noblesse mehr schweizerische als deutsche Töne verliehen
habe, werden nie einen Jud abschlachten, nicht einmal regel-
recht foltern; das mit dem kleinen Finger geht ihnen schon zu
weit. Ein Steinwurf, mag sein, das kommt in der besten Gemeinde einmal vor. Daß sie, schuldig durch diesen anonymen
Steinwurf, den Schwarzen einen Sündenbock abzuliefern haben, ist das nicht klar? Die Schwarzen sind hier nichts als eine
Maschine, stumm, es interessiert mich überhaupt nicht, wer
die sind; die haben keine Sprache. Schuld? Hauptschuld? Keine Spur. [. . .] Für mich, wenn ich das sagen darf, gehört es
zum Wesentlichen des Einfalls, daß die Andorraner ihren Jud
nicht töten, sie machen ihn nur zum Jud in einer Welt, wo das
ein Todesurteil ist. So sehr ich dafür wäre, daß die Eichmanns,
die Vollstrecker, gehängt werden, so wenig interessieren sie
mich, genauer: ich möchte die Schuld zeigen, wo ich sie sehe,
unsere Schuld, denn wenn ich meinen Freund an den Henker
ausliefere, übernimmt der Henker keine Oberschuld. Kann
sein, daß ich hier mißverstanden werde vom Zuschauer, ich
glaube es aber nicht einmal, da ich ihm weder den Gefallen
erweise, Interesse zu haben für Eichmann, noch den Gefallen,
einen Unterschied zu machen zwischen Zuschauer und Andorraner, indem ich die Andorraner eigenhändig töten lasse«
(*Jetzt ist Sehenszeit*, S. 205–210).

Nach der Zürcher Uraufführung am 2.11.1961, für die der Autor einen von der Buchausgabe abweichenden Text erstellt hatte,
wurde das Stück von Frisch nicht, wie zuvor bei anderen Stücken
praktiziert, sofort für deutsche Bühnen freigegeben. Er wollte
die Erfahrungen der Uraufführung noch einmal verarbeiten.
Darin zeigt sich die Sorgfalt, die er auf diesen Text anwendete. So
wurde die Urfassung für die drei deutschen Erstaufführungen

am 20.1.1962 in Düsseldorf, Frankfurt am Main und München von ihm noch einmal verändert. Über diese Änderungen lässt sich folgendes resümieren: Die Buchfassung ist differenzierter, die Verbindung zwischen mehrfach auftauchenden Motiven ist sorgfältiger gearbeitet, der Wirt wird eindeutig als Mörder der Senora erkennbar, Barblin ist in ihrer Liebe drängender, Andri in seinem Verhalten gegenüber seinem Schicksal ebenfalls, die Andorraner wirken noch mehr in Schuld verstrickt.

Insgesamt lässt sich festhalten: Frisch hat mit *Andorra* gerungen, er hat sich ein halbes Künstlerleben mit dem Stoff beschäftigt, den er als den seinen erkannte, dessen Ausarbeitung ihm dann aber enorme Schwierigkeiten bereitete.

Frisch hat sich vielfach zu seinem Verständnis des Stücks geäußert. Er erklärte, dass er einen Juden als Beispiel nahm, weil dieser die Schuldsituation, um die es ihm ging, am deutlichsten mache, dass es aber auch andere treffen könne. Er gestand, dass er den Punkt, an dem Widerstand quasi zur Pflicht wird, nicht eindeutig zu identifizieren vermag: Man könne sich an Greuel gewöhnen. In einem Interview in der Wochenzeitung *Die Zeit* vom 3.11.1961 präzisierte Frisch seine Auffassung:

»Die Quintessenz: die Schuldigen sind sich keiner Schuld bewußt, werden nicht bestraft, sie haben nichts Kriminelles getan. Ich möchte keinen Hoffnungsstrahl am Ende, ich möchte vielmehr mit diesem Schrecken, ich möchte mit dem Schrei enden, wie skandalös Menschen mit Menschen umgehen. Die Schuldigen sitzen ja im Parkett. Sie, die sagen, daß sie es nicht gewollt haben. Sie, die schuldig wurden, sich aber nicht mitschuldig fühlen. Sie sollen erschrecken, sie sollen, wenn sie das Stück gesehen haben, nachts wachliegen. Die Mitschuldigen sind überall.«

Auch in anderen Beiträgen zeigte sich, dass für Frisch die Konfrontation der sog. Unschuldigen mit ihrer Schuld das zentrale Anliegen war.

Rezeption

Andorra ist Frischs erfolgreichstes Drama geworden. Allein in
der Spielzeit 1962/63 erlebte es auf den deutschsprachigen Bühnen 934 Vorstellungen. Nur Dürrenmatts *Physiker* (1962) wurde in dieser Zeit häufiger in Szene gesetzt. Schon bei der Zürcher
Uraufführung, die wegen des Andrangs an drei aufeinanderfol-
genden Abenden, dem 2., 3. und 4.11., gegeben werden musste,
zeichnete sich dieses enorme Interesse ab. In Deutschland feierte
das Stück am 20.1.1962 an drei Orten zugleich Premiere, und
zwar in Düsseldorf, Frankfurt am Main und München. Neben
diesen Aufführungen verdienen v. a. die Inszenierungen von
Fritz Kortner in Berlin (23.3.1962) und von Peter Palitzsch in
Stuttgart (6.5.1962) sowie die Aufführungen in Haifa/Israel
(März 1962) und New York (9.2.1963) besondere Beachtung.
Bereits in den folgenden Jahren aber flaute das rege Interesse
allmählich ab.

Premiere in
Zürich

Zur Premiere in Zürich erschienen in fast allen deutschsprachigen Zeitungen Kritiken. Viele Rezensenten setzen sich ausführlich mit dem Stück auseinander, wobei die Zustimmung eindeutig überwog. Enthusiastisch hatte auch das Zürcher Pubikum
reagiert. Die umfassendste und ausgewogenste Würdigung
schrieb Siegfried Melchinger in der *Stuttgarter Zeitung* vom
4.11.1961. Melchinger erkannte schon damals die Ambivalenz
in Frischs Text, er beschrieb das Stück als meisterlich gelungen,
was die Bildnisthematik, und als gescheitert, was die Sünden-
bockproblematik betrifft.

Die widersprüchlichen Gefühle, die einen sensiblen Zuschauer
angesichts von *Andorra* befallen konnten, hat Gody Suter in *Die
Weltwoche* vom 10.11.1961 thematisiert:

> »Es fällt schwer, über dieses Stück zu schreiben. Es ist leicht,
> über dieses Stück zu schreiben. Es ist leicht – oder schien
> jedenfalls leicht, gleich nach der Premiere – seine Schönheiten
> einzusehen, seine Parallelen aufzuspüren und anzumerken.
> [. . .] Es fällt schwer, über dieses Stück zu schreiben: als Kri-
> tiker, als Theaterbesucher, als Andorraner. Wo der Kritiker
> einhaken möchte, stellt sich ihm der Theaterbesucher in den

Weg, und wo der Theaterbesucher zustimmt, wird er von dem zutiefst getroffenen Andorraner in die Rippen gestoßen. Und doch sind es nicht eigentlich gemischte Gefühle, die das Stück auslöst. Die Gefühle sind völlig klar und deutlich unterschiedbar. Sie wollen sich nur nicht miteinander vereinen. ›Ha, so sind sie‹, ›Ha, so sind wir‹ – Triumph und Erniedrigung liegen hier so nahe und perfid beieinander, daß man dem Feind den Dolch in den Rücken stößt, und nur an dem plötzlichen Schmerz merkt, wie und wie sehr man sich selber getroffen hat. Ich kenne kein Stück, kann mich an kein Theatererlebnis erinnern, das eine größere Wirkung auf mich ausgeübt hätte, eine Wirkung in jedem Stockwerk meines Bewußtseins: Gefühl und Bildung, Erfahrung und Gewissen, Snobismus und Sentimentalität sind gleichermaßen in Mitleidenschaft gezogen. Und stimmen zu und wehren sich zugleich.«

Von den wenigen ablehnenden Reaktionen ist v. a. die von Friedrich Torberg in *Das Forum* bemerkenswert, sein Einwand ist noch heute bedenkenswert:

F. Torberg

»Jude, Jude-Sein, Judentum mögen als Begriffe oder Tatbestände der Eindeutigkeit entraten. Man kann vielleicht nicht ganz genau sagen, was sie *sind*. Aber man kann ganz genau sagen, was sie *nicht* sind: sie sind keine Modelle, sie sind keine austauschbaren Objekte beliebiger (und ihrerseits austauschbarer) Vorurteile, wie ja auch der Antisemitismus kein beliebiges (und seinerseits austauschbares) Vorurteil ist. So billig geben's weder die Juden noch die Antisemiten. So einfach, so geheimnislos, so flach und physisch greifbar geht's da nicht zu. Es geht schon ein wenig darüber hinaus, ins Meta-Physische, sofern das im Zusammenhang mit Max Frisch gesagt werden darf. Am Ende – und man sollte diesen Gedanken nicht ganz von der Hand weisen, auch wenn man zum lieben Gott bestenfalls in einem Verhältnis wohlwollender Neutralität steht – am Ende hat das jüdische Problem sogar etwas mit Religion zu tun.«

Anlässlich der drei deutschen Erstaufführungen verlegte sich auch der Ort von *Andorra*, den die Zuschauer ausmachten, von der Schweiz nach Deutschland. Rudolf Walter Leonhardt setzte

deutsche Erstaufführungen

sich in *Die Zeit* vom 26.1.1962 vehement für die moralische Bedeutung des Stücks ein und dekretierte deshalb: »Das historische Modell für Andorra ist Deutschland.« Die Aufführungen in Frankfurt und Düsseldorf setzen, wenn man den meisten Kritiken glauben will, keine neuen Akzente, nur die Münchner Inszenierung von Hans Schweikart ging eindeutig andere Wege als die Schweizer Uraufführung. Dazu Joachim Kaiser in der *Süddeutschen Zeitung* vom 22.1.1962:

Münchner Inszenierung von H. Schweikart

> »In der Münchner Aufführung trat die poetische Qualität des Stücks weitaus deutlicher hervor. Und obwohl das hiesige Ensemble der Zürcher Starbesetzung nicht ganz gleichwertig war, kamen einige Szenen psychologisch genauer heraus. Während in Zürich der kühle, objektiv feststellende Modellcharakter des Stückes unterstrichen schien, wandelte Schweikart Andris Passion in ein individuelles Schicksal um, machte er aus dem bösen Vorgang ein Verhängnis. Er brauchte dabei kein Wort zu ändern. Er ließ nur langsamer sprechen, holte melancholische Poesie aus Frischs Diktion, wagte vielsagende Pausen und unterstrich die Liebesenttäuschungen des jungen Mannes mit einer beinahe glühenden Intensität. Dieser Andri – und das ist wohl der entscheidende Unterschied – litt nicht bloß daran, daß alle ihn auf das ›Jüdische‹ festlegen, sondern er wurde zum Gehetzten, Verdammten, fast Unaussprechbaren vor allem deshalb, weil der Vater ihm die geliebte Barblin verweigert (die er für seine Pflegeschwester hält, während sie doch seine wirkliche Schwester ist) und weil Barblin, vor den Kopf geschlagen wegen des Vaters Weigerung, sich dem brutalen Zugriff des Soldaten Peider aus Rache an der Welt hingibt.«

Es folgten weitere Aufführungen in ganz Deutschland. Dazu noch einmal Joachim Kaiser, der zu einer Art Chronist der Rezeption von *Andorra* wurde, diesmal über Fritz Kortners Inszenierung vom 23.3.1962 in Berlin, in *Theater heute*:

Berliner Inszenierung von F. Kortner

> »Und je länger man das Stück in Berlin spielt, je hoffnungsloser die Versuche der Interessenten werden, vielleicht doch eine Karte fürs stets ausverkaufte *Andorra* zu erlangen, desto dringlicher wird das Gerücht, die Berliner *Andorra*-Aufführung sei wohl die stärkste von allen, sei wohl das Theater-

ereignis dieses Winters, sei Kortners vielleicht geglückteste Regie. Wie ist nun Kortner mit diesem Stück fertig geworden, das Kurt Hirschfeld in Zürich als prägnantes Modell angelegt hatte [. . .], während Hans Schweikart in München die Privattragödie des Helden nach vorn rückte [. . .]? Kortners großer, ja entsetzlicher Kunstgriff bestand darin, die *Andorra*-Welt nicht im mindesten zu karikieren. Eine weiße, harmlos kühle Stadt, im Stil der Inselarchitektur gebaut; kirchliche Umzüge, an denen man guten Willens teilnimmt, Behaglichkeit, Langsamkeit, Selbstbewußtsein. Niemand war wirklich und von vornherein böse – alle schienen eher wie Insekten, die mit unbewußter Selbstverständlichkeit nicht anders können, als etwas vermeintlich Fremdes zu ermorden. Eben das aber war furchtbar. Wären sie doch böse, dachte man manchmal, dann könnten sie sich vielleicht auch fürs Gute entscheiden. Diese gutmütig-mörderischen Insekten werden sich nie ändern. [. . .] Am meisten aber wagte Kortner mit der Figur des jungen Andri. Das war kein mildes mitleiderregendes Opfer. Sondern jemand, der sein Bestes versucht hat – und dann unzugänglich, nervös, schroff, ja hysterisch geworden ist. Klaus Kammer hatte bald einen flackernden Blick, schlug sich auf die Schenkel, wenn der arglose (nicht schuldlose) Pater auf ihn einredete, hörte er kaum zu. Entschloß sich aber auch nicht heroisch zum Leiden. [. . .] Dieser Andri durfte nicht ›weich‹, aber auch nicht existentiell zur ›Selbstverwirklichung‹ entschlossen sein. An ihm wurde offenbar, daß Leiden und Verfolgung eine entsetzliche Schule sind, nicht nur sympathisch, sondern möglicherweise auch unsympathisch machen. Gerade das aber ist die Schuld der Verfolger.«

Rolf Michaelis gibt einen genauen Bericht der Stuttgarter Aufführung in der *Stuttgarter Zeitung* vom 8.5.1962:

Stuttgarter Inszenierung von P. Palitzsch

»Konzentration ist das Merkmal dieser ›Bühneneinrichtung‹. Wo Frisch ins Kunstgewerbe sinkt (der Idiot, die Liebesszenen, das Gretchen-Ophelia-Schlußbild der wahnsinnigen Barblin), wo einzelnen Teile [. . .] schlecht zusammengeflickt sind [. . .], wo die Fragwürdigkeiten dieses aus realistischem Stück und Parabel gebildeten Bühnenwerks offenbar werden (vor allem die Symbolfracht von Schwarz und Weiß) – überall dort strafft die Regie. Palitzsch gelingt, was einer der ersten Sätze des Stückes verlangt: ›Ich werde dieses Volk vor seinen Spiegel zwingen, sein Lachen wird ihm gefrieren.‹ Der Beifall, eine Ovation für den Regisseur und das ausgezeichnete Ensemble, ließ keinen Zweifel daran, daß sich die Zuschauer bewußt waren, den Höhepunkt der Saison im Schauspielhaus erlebt zu haben. [. . .] *Andorra* in Stuttgart. *Andorra* bei uns. Den von Frisch erstrebten Modellcharakter erreichen Regisseur und Bühnenbildner, indem sie sich den Anweisungen des Autors widersetzen. ›Südländischer Platz, nicht pittoresk, kahl, weiß mit wenigen Farben, die Bühne so leer wie möglich‹ – wünscht Frisch. Gerd Richter baut die Bühne zu. Rechts und links hohe Giebelhäuser, hintereinander gestaffelt bis zu der den Platz beherrschenden Kirche im Hintergrund. Im Vordergrund: Kein Zweifel: die frontal dem Publikum entgegengestellten Häuserreihen ziehen sich über die Rampe in den Saal: Andorra überall. [. . .] Diese friedliche Kleinstadt ist unser Zuhause. [. . .] Palitzsch will den Appell an das Gewissen. Er inszeniert *Andorra* als Lehrstück von der Schuld des Menschen. Die Szene wird zum Tribunal.«

Misserfolg in den USA

Eine ganz andere Rezeption als in Deutschland erlebte das Stück in den USA. Dort wurde es nach der Premiere am 9.2.1963 nach nur neun Vorstellungen abgesetzt. Howard Taubman machte sich dazu in der *New York Times* vom 25.2.1963 Gedanken: »In Mitteleuropa haben sich Frischs Stücke stärker durchsetzen können, weil sie der Mentalität des Publikums näher liegen. Was uns als ziemlich durchsichtige Ironie erscheint, wird dort als tiefsinnig und subtil empfunden.« Dass die Ablehnung in New York tatsächlich den amerikanischen Eigenarten zuzuschreiben

Erfolg in Israel

ist, zeigt die Aufführung in Haifa. Auch dort saßen ja im Zuschauerraum die Ankläger, nicht die Angeklagten, wie es der Regisseur Josef Millo formulierte. Dort aber wurde das Stück positiv aufgenommen und ein Bühnenerfolg. Auch wenn ein Einwand nicht ausbleiben konnte: »[D]er versuchte Beweis, daß die Juden gar nicht anders sind, sondern zum Anderssein gezwungen werden, kann in Israel naturgemäß nicht standhalten. Es gibt ja auch positiv Jüdisches«, wie die Zeitschrift *Jedioth Hajom* im März 1962 schrieb.

Kommentar

Deutungsansätze

Wie die Theaterrezeption weisen auch die wissenschaftliche und ernst zu nehmende publizistische Auseinandersetzung mit *Andorra* einen deutlichen Rückgang auf. Nach einer Phase eindringlicher Beschäftigung, die in der Literaturwissenschaft bis etwa Mitte der Achtzigerjahre andauerte, erscheinen Untersuchungen dieses Dramas inzwischen nur noch sporadisch. Man kann die Rezeption also mit einigem Recht in zwei Phasen einteilen, wobei wir uns immer noch in der zweiten befinden. Der Abschluss der ersten Phase lässt sich dabei in den beiden Kommentar- bzw. Materialienbänden sehen, die Walter Schmitz zusammen mit Wolfgang Frühwald (1977) und Ernst Wendt (1984) herausgegeben hat. Trotz dieser beiden Sammelbände, die die Beschäftigung mit *Andorra* bündeln, muss bis heute eine systematische, zusammenhängende, überzeugende Analyse der verschiedenen Aspekte des Stücks als Desiderat bezeichnet werden. So wurden z. B. so viele – verwandte, trotzdem unterschiedlich gewichtende – Bezeichnungen für *Andorra* eingeführt, dass seine Grundlinien aus dem Blick zu geraten drohen. Da ist von der »Dramaturgie des Zweifels« (vgl. Durzak, S. 154) genauso die Rede wie von der »Dramaturgie des Vorurteils« (Schmitz, in: Harro Müller-Michaels, S. 120), man spricht vom »Möglichkeitstheater« (Durzak, S. 145), vom »Bewußtseinstheater« (Frühwald/Schmitz, S. 48) oder von »Bewältigungsdramatik« (Schmitz/Wendt, S. 157). Im folgenden seien deswegen noch einmal diese Linien kurz nachgezeichnet.

Wie Hans Wysling und Walter Schmitz nachgewiesen haben (Schmitz/Wendt, S. 133f. u. 143ff.), überlagern sich in *Andorra* mehrere Vorbilder und Dramentypen. Besondere Bedeutung kommt dabei Bertolt Brecht zu. Nahezu alle Interpreten beschäftigen sich daher auch mit den in der Tat vielfältigen Beziehungen von Frisch zu Brecht und der komplizierten Absetzbewegung des Schweizer Autors vom großen Vorbild.

Frischs Beziehungen zu Brecht

Zunächst fallen beider Gemeinsamkeiten ins Auge. Brechts Stücke sind, wie *Andorra*, Modelle; man denke nur an *Der gute Mensch von Sezuan* (1938–1941) oder *Der Kaukasische Krei-*

dekreis (1944/45). Auch Frisch hat in *Andorra*, ganz im Stil des epischen Theaters von Brecht, den Ausgang vorweggenommen (bereits in der ersten Aussage in der Zeugenschranke). Und er hat eine Art Verfremdungseffekt verwendet: Durch das Vortreten der Protagonisten in die Zeugenschranke hat der Zuschauer eine Distanzierungsmöglichkeit zum Geschehen.

Angesichts dieser Parallelen treten die Unterschiede um so deutlicher zu Tage: Die Aussagen in der Zeugenschranke hätten bei Brecht dazu gedient, die Handlung zu kommentieren. In *Andorra* kritisiert dagegen die Handlung die Zeugen, nicht der Kommentar die Handlung. ›Es ist geschehen, wie gehen wir heute damit um?‹ lautet bei Frisch die Frage, während es bei Brecht hieße: ›Es ist so, könnte aber auch anders sein.‹ Frisch rückt das Geschehen durch die Zeugenaussagen nicht in die Ferne, er distanziert nicht, sondern schließt sie mit den tatsächlichen Ereignissen in der Vergangenheit kurz. Die Darlegungen der Zeugen machen *Andorra* zu einem Tribunal, vor das die Zuschauer im Parkett zitiert werden.

Dies verweist auf den fundamentalen Unterschied zwischen beiden Autoren: Brecht will Welterkenntnis, Frisch Selbsterkenntnis. Brecht möchte den Menschen durch Einsicht in die Verhältnisse ändern. Die Welt ist das Werk von Menschen, sie ist von der Wissenschaft durchschaubar gemacht, also auch veränderbar. Beim Verfremdungseffekt – das berühmte Schlagwort betreffs des epischen Theaters – geht es genau darum. Er soll dem Zuschauer Distanz zum Geschehen ermöglichen, damit er, durch Einsicht in die Verhältnisse, wie sie auf der Bühne dargestellt werden, ihre wirkliche Veränderbarkeit begreifen kann. Brecht will mit allen Mitteln die Identifiktion verhindern, er zielt auf den mündigen, denkenden, urteilenden und am Ende lernenden Zuschauer, nicht auf den erschütterten. Er will keine Katharsis, sondern Einsicht. Obwohl Brecht kein Realist war – er lieferte keine Abbilder der Wirklichkeit –, ging er doch davon aus, dass Modelle auf die Bühne gebracht werden können, die die Wirkungsmechanismen der gesellschaftlichen Wirklichkeit beschreiben.

Der grundlegende Unterschied der Dramenauffassung Frischs liegt aber nun nicht darin, dass er ein sozialpsychologisches Modell entwickelt, wie von der Forschung vielfach exponiert. Er hat vielmehr eine andere Auffassung von Modell und Wirklichkeit. Brechts Objektivitätsglaube (und Optimismus) liegen außerhalb des Rahmens seiner Möglichkeiten. Frisch ging in seiner Roman- und Dramenauffassung davon aus, dass sich jeder Mensch eine eigene Geschichte zusammenreime, die er für die Wirklichkeit und sein Leben halte; diese Geschichte lasse sich nicht durch die Wirklichkeit, sondern nur durch eine andere Geschichte erset- zen. Nur insofern, quasi als veränderte Idealisierung, sei Verän- derung möglich. Das Modell ist nicht Modell einer Wirklichkeit, die als gegeben betrachtet wird, wie bei Brecht, sondern be- schreibt das Herstellen von Wirklichkeit, wie sie durch Modelle geleistet wird. In seiner Rede *Der Autor und das Theater* bei der Frankfurter Dramaturgentagung 1964 spitzte Frisch seine Dif- ferenz zu Brecht zu und begründete seine Haltung:

Frischs Auf-
fassung von
Modell und
Wirklichkeit

Differenz zu
Brecht

> »Auch Brecht zeigt nicht die vorhandene Welt. Zwar tut sein Theater als zeige es, und Brecht hat immer neue Mittel gefun- den, um zu zeigen, daß es zeigt. Aber außer der Gebärde des Zeigens: was wird gezeigt? Sehr viel, aber nicht die vorhan- dene Welt, sondern Modelle der brecht-marxistischen These, die Wünschbarkeit einer anderen nichtvorhandenen Welt: Poesie. [. . .] Unser Spiel, verstanden als Antwort auf die Un- abbildbarkeit der Welt, verändert diese Welt noch nicht, aber unser Verhältnis zu ihr: es entsteht immerhin ein Vergnügen sogar an tragischen Gegenständen, und diese Vergnügen be- darf keiner Rechtfertigung daraus, daß unser Spiel didaktisch sei; es ist eine Selbstbehauptung des Menschen gegen die Ge- schichtlichkeit« (GW IV,345ff.).

Frisch verändert den Wirklichkeitsstatus des Modells, indem er es vor die Wirklichkeit setzt – das Modell erzeugt die Wirklich- keit –, und nicht, wie Brecht, ihr gegenüberstellt. Man kann *An- dorra*, wie Wolfgang Frühwald und Walter Schmitz, deshalb zu Recht als »Entwurf einer imaginierten Welt zur Überprüfung der Realität« bezeichnen (Frühwald/Schmitz, S. 72).

Damit aber wird eine Ambivalenz unausweichlich, die sich in den Reaktionen auf das Stück bereits mehrfach gezeigt hat. Hell- muth Karasek etwa bewertet den Modellcharakter von *Andorra* positiv, weil es ein wiederholbares Beispiel, eben ein Modell der

H. Karasek

Wirklichkeit, entwickle. Dabei gehe es um die »soziologische

M. Bieder-
mann
Konstellation« (vgl. Karasek, S. 81). Marianne Biedermann dagegen lehnt diese Deutung ab und sieht in der Abstraktion, die
das Modell ausmache, ein Negativum. Die Schilderung des Antisemitismus und der andorranischen Gesellschaft bleibe ober-
flächlich – eben modellhaft (vgl. Biedermann, S. 93).

Tatsächlich schwankt *Andorra* zwischen Abstraktion und Kon-
kretion. Einerseits lässt es sich sehr wohl auf die Schweiz und
Deutschland sowie den Faschismus anwenden, andererseits lässt
sich behaupten, wie etwa Hans Magnus Enzensberger (* 1929)
es tat, dass *Andorra* schildere, »was jederzeit und überall möglich ist«.

So hat es trotz des Modellcharakters Reaktionen und Interpretationen gegeben, die *Andorra* sehr direkt auf das Nachwirken
des Faschismus in der Schweiz oder Deutschland bezogen ha-

F. Bondy
ben. François Bondy etwa geht davon aus, dass *Andorra* ein
Zeitstück sei, das von den Schatten der Vergangenheit handele,

R. W.
Leonhardt
und bezieht es auf die Schweiz. Rudolf Walter Leonhardt dagegen sah Deutschland als das historische Modell für *Andorra*.

Modell heißt also auch, dass Frisch eine Möglichkeit zur Selbst-
analyse und -überprüfung im Theater inszeniert, was von der
Forschung unter dem Begriff »Bewußtseinstheater« thematisiert
wurde. Es geht ihm dabei auch um die konkrete Schuld und
Geschichte; er zieht dieses Tribunal jedoch nicht an den Details
dieser vergangenen Wirklichkeit auf, sondern indem er das Geschehen auf seinen – modellhaft gedachten – Kern hin ausrichtet.
Dadurch verdeutlicht sich das Geschehene. Das Modell zeigt,
dass Schuld und ihre Anerkenntnis immer Interaktionen sind.
Das Wirken dieses Prozesses will Frisch auf dem Theater nach-
bilden.

W. Frühwald
Wolfgang Frühwald geht in seinem Aufsatz »Wo ist Andorra?«
noch einen Schritt weiter (vgl. Schmitz 1976, S. 305ff.). Er führt
aus, dass Andri in der ersten Hälfte des Stücks eine Rolle aufge-
drängt wird, die ihn im zweiten Teil prägt, indem er diese Rolle
als sein Leben annimmt. Dadurch werde er zum Handelnden
und zwinge den Andorranern ihre Schuld auf – was wiederum
seine eigene Schuld sei.

»Wenn aber in diesem Stück nicht in Einzelfällen zu denken

ist, wenn es nicht um die Schuld des Einzelnen oder einer Gruppe von Menschen geht, sondern ausschließlich um Schuldrelationen, um die unlösbare Schuldverflechtung im lebendigen Raum des menschlichen Miteinander, dann ist *Andorra* nicht allein, wie die Kritik annahm und Frischs These, daß die Welt auf Schablonen verhext ist, wieder einmal bestätigte, Zeitmodell, sondern auf dem Umweg über das Modell einer historisch fixierbaren Zeit, Modell der Wirklichkeit. *Andorra* heißt das Stück, denn auch Andri ist Andorraner von Geburt und Gesinnung, *Andorra* aber, das sind wir, das ist diese unsere Welt. *Andorra* ist eine moderne Variante des alten Spiels vom Jedermann« (ebd., S. 312f.).

Damit wird die Verwandtschaft des Modellcharakters mit der Bildnisproblematik deutlich, die auf der inhaltlichen Ebene für das Stück zentral ist. »Du sollst dir kein Bildnis machen, heißt es, von Gott. Es dürfte auch in diesem Sinn gelten: Gott als das Lebendige in jedem Menschen, das, was nicht erfaßbar ist. Es ist eine Versündigung, die wir, so wie sie an uns begangen wird, fast ohne Unterlaß wieder begehen – Ausgenommen wenn wir lieben«, ist im *Tagebuch 1946–1949* zu lesen (GW II,374).

Bildnis-problematik

Frisch bezeugt in *Andorra* die zuweilen verhängnisvolle Macht von Modellen bzw. Bildnissen: Wer sich ein Bildnis des Anderen macht, zwingt ihn, sich gemäß dem Bildnis zu verhalten. Die Andorraner, die alle ein festgefügtes Bild von Andorra und von sich als Bewohner des Kleinstaats haben, machen sich von Andri ein Gegenbild und zwingen ihn dadurch zu der verzweifelten Entscheidung, ebendas zu sein, was die anderen in ihm sehen. Damit aber ist er nicht er selbst geworden, sondern nur einer Schablone gerecht geworden, auch wenn diese Entwicklung für ihn mit allen Zügen der Identifikationsfindung vonstatten geht. Dass sich jeder eine Geschichte anfertigt, die er für sein Leben hält, dass jedes Ich eine Erfindung ist, ist die zentrale Thematik in Frischs Werk. Dieser Stoff wird auch in seinen großen Romanen *Stiller, Homo faber, Mein Name sei Gantenbein* verhandelt, wo die Bildnisproblematik ebenfalls intensiv erörtert wird. In *Andorra* macht er diesen Stoff zum Inhalt eines politischen Dramas.

In der Forschung wurde dieser Zusammenhang in Anlehnung an

Gordon W. Allports Studie *Die Natur des Vorurteils* (1954) v. a. als Stereotyp thematisiert: Bildnisse tendieren dazu, sich zu Stereotypen zu verfestigen, Stereotype tendieren dazu, die Wirklichkeit an sich zu messen: Genau das passiert in *Andorra* (Walter Schmitz, in: Harro Müller-Michaels, S. 117).

Begriff des
Vorurteils

Damit ist man beim in der Rezeption ebenfalls weitgehend akzeptierten Begriff des Vorurteils als zentralem Wirkungsmechanismus des Dramas angelangt. Vorurteile werden durch den Gruppenzusammenhang, nicht durch die Realität bestätigt; sie fördern das Zusammengehörigkeitsgefühl der Gruppe, die die Vorurteile hat, da die eigene Gemeinschaft positiv, das Fremde dagegen negativ beschrieben wird. Vorurteile werden so zu einer sozialen Realität. Sie entstehen durch den Mechanismus der Projektion: Man sieht im Anderen, was man selbst nicht sein möchte. Die extremste Ausprägung dieser Zuschreibungsweise stellt der Sündenbock dar, der für eigene Taten verantwortlich gemacht wird. All diese Mechanismen sind in *Andorra* beschrieben. Damit allerdings läuft man Gefahr, das Stück auf eine soziologische Studie zu verkürzen: Man findet bestätigt, was man aus der gesellschaftswissenschaftlichen Forschung bereits weiß.

Die umstrittenste Frage im Zusammenhang mit *Andorra* ist, ob das Stück wirklich den Antisemitismus und seine Wirkungsweise beschreibt, wie die meisten Interpreten annehmen, oder ob Frisch das Thema nur benutzt (und damit missbraucht) hat, um wieder die bei ihm bekannte Identitätsproblematik abzuhandeln. Friedrich Torberg formuliert als erster den zentralen Vorwurf, wenn er sagt, indem Frisch das Schicksal der Juden zu einem Modell mache, gehe er an ihrem konkreten Dasein vorbei (in: Schau, S. 296–299). Am deutlichsten wird John Millfull in

J. Milfull

seinem Aufsatz »Anders Sein – Marginalität und Integration bei Frisch und Dürrenmatt«. Er geht der Frage nach, was es bedeutet, dass ein Stück über Antisemitismus

> »sich den Spaß leistete, einen Juden, der keiner war, als Protagonist in Szene zu setzen: [...] der Jude wird zum Juden gemacht, indem er sich zwangsläufig dem Stereotyp anpaßt, den sich die Gesellschaft vom Juden gebildet hat. Die Judenfrage ist also kein jüdisches Problem, sondern entsteht aus

dem rassistischen Stereotypendenken der ›Gastgesellschaft‹. Die aufklärerische Grundmaxime, auf der dieses Denken basiert, ist klar: alle Menschen sind gleich, der sogenannte ›jüdische‹ Charakter ist das Ergebnis der Auseinandersetzung mit diesem Stereotyp, fällt der Stereotyp weg, werden die Juden Menschen (frei nach Kafka) ›wie du und alle‹. Doch die Maxime hat ihre unschöne Seite: sie ist nicht freizusprechen von aufgeklärter Arroganz, sie impliziert ein Bild vom Menschen, das ohne kulturellen Pluralismus, ja ohne Unterschiede auskommt: sie nimmt die Möglichkeit gar nicht wahr, daß Menschen entweder anders sein wollen oder tatsächlich anders sind« (Schmitz 1987, S. 285).

Die Gegenposition wurde am stärksten von Helmut Krapp vertreten. Krapp begreift den Antisemitismus als einen so allgemeinen Mechanismus, als so archaisch, dass der Jude das gültige Beispiel für das Herrschen des Vorurteils bleibe: »Hyperbolisch ausgedrückt: Jedes Vorurteil, mit dem wir unserem Nächsten verwehren, er selbst zu sein, ist eine nur verdeckte Form des Antisemitismus. Es ist schon der Anfang des Pogroms, in dem er – kommt es soweit – gelyncht werden wird« (Wendt/Schmitz, S. 100).

Andorra ist kein eindeutiges, auf eine Thematik fixierbares Stück. Eher handelt es sich um ein Vexierbild, das unterschiedliche Gesichter annehmen kann. In *Andorra* überlagern sich, wie so oft bei Frisch, Privates und Öffentliches, ein zentrales Thema des 20. Jh.s und eine unglücklich verlaufende Pubertätsgeschichte. Man muss sich fragen, ob darin nicht die größte Stärke dieses Textes und nicht, wie mehrfach angekreidet, seine Schwäche liegt. Grundsätzlich kann man im Spiegel dieses Dramas erschrecken, dann ist es ein Tribunal, das dem Zuschauer v. a. durch die Auftritte in der Zeugenschranke vor Augen führt, dass er selbst hier gemeint ist. Oder man kann Einsicht in den Zusammenhang der Schuldverstrickung finden.

Angst ist ein fast durchweg übersehenes Thema in *Andorra*. Peter Pütz hat in seinem Aufsatz »*Andorra* – ein Modell der Mißverständnisse« darauf hingewiesen und sei deshalb hier abschließend und ausführlich zitiert:

»Je mehr aber der Druck des Nachbarlandes wächst, desto

mißtrauischer und haßerfüllter werden die Reaktionen auf Andris Dasein und Verhalten. Angst ist überhaupt eine der treibenden Kräfte im gesamten Geschehen, sowohl während des dramatischen Verlaufs als auch in dessen Vorgeschichte. Aus Angst vor den gesellschaftlichen Zwängen hat die Senora ihr uneheliches Kind verschwiegen, aus Angst vor der Sitte seines Landes hat der Lehrer seinen Sohn verleugnet, Andri hat Angst, nicht so sein zu dürfen wie die anderen, Barblin fürchtet sich vor dem Einfall der Schwarzen und vor dem Verlust ihres Geliebten, der Soldat hat Angst vor der Übermacht der Feinde; daher trinkt und prahlt er; der Geselle hat Angst, die Verwechslung des Stuhls aufzuklären usw. Alle diese Formen der Angst entspringen der Diskrepanz zwischen den gesellschaftlichen Forderungen und den jeweiligen Charakteren mit ihren persönlichen Glückserwartungen. Wer nur die subjektive Seite ihrer Anpassungsreaktionen auf die äußeren Zwänge sieht, erkennt nur Feigheit und kann sich geruhsam moralisch entrüsten. Wer dagegen die objektiven Ursachen der Angst zu suchen bereit ist – der Lehrer und Andri sind nicht von Natur aus feige –, der wird auf den fast unwiderstehlichen Druck des Rollenzwangs gestoßen, der sogar den Lehrer, den einstigen Rebellen, zerbricht« (Arnold, S. 38).

Ist die Angst so einmal als durchgängiges Motiv erkannt, erübrigt sich auch der Vorwurf, dass Frisch die Wurzeln des Antisemitismus vollständig ausspare. Denn die Angst erzeugt einen Rollendruck, der die Vorurteile der Andorraner dann fast notwendig nach sich zieht.

Literaturhinweise

Sigle:
GW   Max Frisch: *Gesammelte Werke in zeitlicher Folge*, hg. v. Hans
     Mayer unter Mitw. von Walter Schmitz, 6 Bde., Frankfurt/M.
     1976 (Bd. VII, 1986).

Interpretationen und Materialien zu Andorra

Horst Bienek: *Gespräche mit Schriftstellern*, München 1962.

Manfred Jurgensen: *Max Frisch. Die Dramen*, Bern 1968.

Thomas Beckermann (Hg.): *Über Max Frisch* (I), Frankfurt/M. 1971.

Albrecht Schau (Hg.): *Max Frisch – Beiträge zu einer Wirkungsgeschich-
te*, Freiburg 1971.

Manfred Durzak: *Dürrenmatt, Frisch, Weiss*, Stuttgart 1972.

Marianne Biedermann: Das politische Theater von Max Frisch, Lampert-
heim 1974.

Hellmuth Karasek: *Max Frisch*, Velber [5]1974.

Heinz Ludwig Arnold: *Gespräche mit Schriftstellern*, München 1975.

Hans Bänziger: *Frisch und Dürrenmatt*, Bern 1976.

Walter Schmitz (Hg.): *Über Max Frisch* (II), Frankfurt/M. 1976.

Wolfgang Frühwald/Walter Schmitz: *Andorra/Wilhelm Tell. Erläuterungen und Kommentare*, München 1977.

Klaus Haberkamm: *Die alte Dame in Andorra*, in: Hans Wagener: *Ge-
genwartsliteratur und Drittes Reich*, Stuttgart 1977.

Jürgen Petersen: *Max Frisch*, Stuttgart 1978, [2]1989.

Gerhard P. Knapp (Hg.): *Max Frisch. Aspekte des Bühnenwerks*, Bern
1979.

Gerhard P. Knapp/Mona Knapp: *Max Frisch. Andorra*, Stuttgart 1980.

Hans Jörg Lüthi: *Du sollst dir kein Bildnis machen*, München 1981.

Harro Müller-Michaels: *Deutsche Dramen*, Bd. 2, Königstein 1981.

Manfred Eisenbeis: *Stundenblätter. Max Frisch Andorra*, Stuttgart 1982.

Wilhelm Große: *Die Schuld Andris*, in: *Literatur in Wissenschaft und
Unterricht* 2 (1982), S. 189–198.

Heinz-Ludwig Arnold (Hg.): *Max Frisch: Text und Kritik* 47/48, München 1983.

Walter Schmitz/Ernst Wendt: *Frischs »Andorra«*, Frankfurt/M. 1984.

Hans Bänziger: *Max Frisch Andorra, Erläuterungen und Dokumente*,
Stuttgart 1985.

Michael Butler: *Frisch Andorra. Critical Guides to German Texts*, London 1985.

Michael Butler: *The Plays of Max Frisch*, London 1985.

Walter Schmitz: *Max Frisch*, Frankfurt/M. 1987.

Heinz Gockel: *Max Frisch. Drama und Dramturgie*, München 1989.

Manfred Eisenbeis: *Lektürehilfen: Max Frisch Andorra*, Stuttgart 1990.

Reinhard Meurer: *Andorra* (Oldenbourg Interpretationen), München
  1990.
Hans Mayer: *Frisch und Dürrenmatt*, Frankfurt/M. 1992.
Max Frisch: *Jetzt ist Sehenszeit. Briefe, Notate, Dokumente 1943–1963*.
  Hg. von Julian Schütting, Frankfurt/M. 1998.

Kommentar

Wort- und Sacherläuterungen

Zürcher Schauspielhaus: Das Schauspielhaus Zürich war in der 7.3
Zeit des Nationalsozialismus die Anlaufstelle für zur Emigration
gezwungene deutsche Theatermacher und während des Zweiten
Weltkriegs die führende deutschsprachige Bühne. 1945 wurde
hier Frischs erstes Drama *Nun singen sie wieder* unter der Regie
von Kurt Horwitz uraufgeführt. Die meisten der folgenden Stücke Frischs wurden ebenfalls am Zürcher Schauspielhaus uraufgeführt; Frisch blieb diesem Theater zeitlebens verbunden.

Andorra: Zwischen Spanien und Frankreich in den Pyrenäen 8.2
gelegener Kleinstaat.

Andri: Der Name des Protagonisten ist rätoromanisch. Räto- 8.7
romanisch ist eine romanische Sprache, die bis heute in einigen
alpinen Teilen der Schweiz und Italiens gesprochen wird. Alle
rätoromanischen Namen des Stücks bis auf Peider werden nach
Frischs Anmerkungen (117,1ff.) auf der letzten Silbe betont. Der
Name »Andri« erinnert an »Andreas« (griech. »der Mannhaf-
te«) oder »André«. Man kann auch an »Andres« aus dem Drama *Woyzeck* (1836) von Georg Büchner (1813–1837) denken,
zu dem *Andorra* mehrfache Bezüge aufweist. Auch eine lautliche
Beziehung zu »der Andere« ist herstellbar, der Name verwiese
dann auf Andris Außenseiterstellung unter den Andorranern.
Dieses Motiv wird mehrfach im Stück aufgenommen: »Ich denke nicht an die andern, Andri [...]« sagt Barblin (27,10; vgl.
auch 42,9; 43,11; 58,11; 60,11). Andri spricht mehrfach davon,
anders zu sein (27,17; 56,23; 57,24–30; 58,17; 80,2–22; 93,33–
34). Gleichzeitig kann der Name aber durch den Gleichklang
mit »Andorra« auch im Sinn von »Bewohner Andorras« verstanden werden. Damit wäre Andri der typische Andorraner.

Barblin: Sie ist neben Andri als einzige Person im Personenver- 8.7
zeichnis mit ihrem Namen aufgeführt. Der Name ist rätoromanisch.

Der Lehrer: Der Lehrer heißt »Can«. Die Herkunft dieses Na- 8.7
mens ist ungeklärt, jedenfalls kommt er nicht aus dem Rätoromanischen.

Die Mutter: Sie hat keinen Namen. 8.7

8.8 **Die Senora:** Senora ist das spanische Wort für »Frau«, allerdings wird das Wort im Spanischen mit einer Tilde geschrieben: Señora.

8.8 **Der Pater:** Der Pater heißt Benedikt.

8.8 **Der Soldat:** Der Soldat heißt »Peider«. Der Name ist rätoromanisch, er wird aber, wie Frisch in den Anmerkungen schreibt (117,4), als einziger auf der ersten Silbe betont.

8.8 **Der Wirt:** Der Wirt hat keinen Namen.

8.9 **Der Tischler:** Der Tischler trägt den rätoromanischen Namen »Prader«.

8.9 **Der Doktor:** Der Doktor heißt »Ferrer«. Der Name wird in den Anmerkungen der *Gesammelten Werke* Frischs (Bd. 4, S. 579) als spanisch bezeichnet. In der Tat ist »Ferrer« im Spanischen ein gebräuchlicher Name und bedeutet »Schmied«. Damit macht Frisch auf einen doppelten Widerspruch in der Person des Doktors aufmerksam: Zum einen ist sein Name als einziger des Stücks nicht rätoromanisch und verweist folglich auf eine andere Herkunft; damit steht er im Kontrast zu den nationalistischen Ansichten des Doktors. Zum anderen ist der Name wie das deutsche Pendant »Schmied« äußerst gewöhnlich und steht damit im Kontrast zu der als Akademiker exponierten Stellung, in der sich der Doktor gerne sehen möchte.

8.9 **Der Geselle:** Der Geselle hört auf den ebenfalls rätoromanischen Namen »Fedri«.

8.9 **Der Jemand:** Durch das personifizierte Personalpronomen kann diese Figur als Vertreter einer allgemeinen Persönlichkeit angesehen werden, als ein »Jedermann«.

8.10 **Ein Idiot:** In seinem lächelnden und stummen Jasagen ist die Haltung der Andorraner auf den Punkt gebracht.

8.10–11 **Die Soldaten in schwarzer Uniform:** Sie könnten, da sie aus dem gleichen Land kommen wie die Senora, als Spanier angesehen werden – was Frisch sicher nicht wollte, da auch Andorra ja nicht das Land gleichen Namens meint. Würde Andorra mit der Schweiz in Verbindung gebracht, wofür mehr spricht, wären die Schwarzen die Deutschen bzw. die Nazis. Frisch aber nennt sie bewusst (vgl. 117,15–16) nicht »Die Braunen«, baut also auch hier eine Differenz ein. Damit unterstreicht er, dass die Beziehung von Andorra zur Schweiz keinesfalls als Gleichung zu verstehen ist.

Barblin weißelt: Das Streichen der Häuser, offenbar ein übli- 9.2
cher Brauch in Andorra, kann als Geste verstanden werden, die
die Unschuld, Jungfräulichkeit oder Reinheit des Kleinstaats
hervorkehren soll. Die Geste erinnert an den Ausspruch von
Pontius Pilatus: »Ich wasche meine Hände in Unschuld.« Am
Ende des Stücks weißelt Barblin wieder, dann allerdings trägt
dies eine andere Bedeutung, denn es hat sich in der Zwischenzeit
die absolute Vordergründigkeit dieser Handlung erwiesen.

Sanktgeorgstag: Der hl. Georg ist als Drachentöter ein Begriff. 9.8
Offensichtlich ist dieser Tag in Andorra so etwas wie ein Nationalfeiertag.

Michelin-Männchen: Gemeint ist die aus vielen übereinander 9.16
gestapelten Reifen bestehende Reklame-Figur der Reifenfirma
Michelin. Barblin möchte den Soldat mit der Bezeichnung lächerlich machen.

Haar: Barblins Haar, das dem Soldat gefällt, ist ein wichtiges 10.32
Leitmotiv des Stücks. Bereits in dieser Szene (13,27) befürchtet
Barblin, dass ihr als Judenbraut das Haar geschoren werden
könnte, was im zwölften Bild dann Wirklichkeit wird (113,34).
Auch Andri liebt Barblins Haar (vgl. 25,29–32); im elften Bild
wirft er ihr nicht nur vor, dass der Soldat mit ihr geschlafen habe,
sondern auch ihr Haar berührt habe (vgl. 92,10; 93,7; 94,1;
94,31).

Kindermord zu Bethlehem: Herodes (um 73–4 v. Chr.), Herr- 12.3
scher über den jüdischen Staat, ließ der biblischen Geschichte
zufolge alle Kinder Bethlehems töten: »Da Herodes nun sah, daß
er von den Weisen betrogen worden war, ward er sehr zornig
und schickte aus und ließ alle Kinder zu Bethlehem töten und an
seinen ganzen Grenzen, die da zweijährig und darunter waren,
nach der Zeit, die er mit Fleiß von den Weisen erlernt hatte«
(Matthäus 2,16–18).

Unsere Täler sind eng [. . .] steinig und steil: Diese im weiteren 12.25–26
Verlauf des Stücks öfter gebrauchte und variierte Zuschreibung
lässt sich leicht auf die Schweiz übertragen.

Man bindet ihn [. . .] ihn ins Genick: Nur der Genickschuss 13.24–25
kann als für die Nazis typische Praxis gelten.

50 Pfund: Imaginäre Währung, die nichts mit dem englischen 14.16
Pfund zu tun hat. Es handelt sich um einen hohen Betrag.

15.30 **Ich werde dieses Volk vor seinen Spiegel zwingen**: Der Spiegel
ist hier, wie so oft, eine Metapher der Selbsterkenntnis.

20.30–31 **und auf den Bock und ab den Rock –**: Peiders Lied ist anzüglich
und deutet den Geschlechtsverkehr mit Barblin an.

21.25–26 **lieber tot als Untertan**: Sprichwörtliche Redewendung, sie erinnert z. B. an »Eher den Tod, als in der Knechtschaft leben«
(Friedrich Schiller, *Wilhelm Tell*, II. Akt, 2. Szene).

24.2–3 **Zeugenschranke**: Hier tritt der Zeuge – im Gegensatz zu dem
Angeklagten, Verteidiger oder Staatsanwalt – vor das Gericht,
um seine Aussage zu machen.

25.18–26 **Gefühl [. . .] Gemüt**: Gefühl und Gemüt sind seit der Romantik
typische Identifikationsbegriffe für das deutsche Wesen; tiefes
Gefühl steht hier im Gegensatz zum – degeneriert gedachten –
Intellekt. Andri zweifelt im Verlauf des Stücks tatsächlich, ob er
Gemüt habe (57,14), noch später wird dieser angebliche Mangel
für ihn zur Gewissheit (80,12) und er beschimpft Barblin, um
noch einmal ein Gefühl für sie empfinden zu können (91,27).

31.9 **verzapft**: Die Verbindung zwischen den Holzteilen wird nicht
durch Schrauben, Nägel oder Leim, sondern Zapfen hergestellt,
was besonders haltbar ist, aber auch eine besonders sorgfältige
Verarbeitung erfordert.

32.1 **Zedern vom Libanon**: Vgl. Psalm 92,13: »[E]r wird wachsen
wie eine Zeder auf dem Libanon.«

34.17 **Klagemauer**: Gebetsstätte der Juden, Mauer an der Westseite
des Tempelplatzes in Jerusalem.

38.18 **Titel**: Der Doktor meint hier akademische Titel wie Professor
oder Lehrstuhlinhaber (vgl. auch 39,34).

43.3–4 **Sie wissen ja nicht, was sie reden**: Vgl. Lk 23,24: »Vater, vergib
ihnen, denn sie wissen nicht, was sie tun!«

52.19 **Jetzt krähen schon die Hähne**: Vgl. Matthäus 26,34: »Wahrlich
ich sage dir: In dieser Nacht, ehe der Hahn kräht, wirst du mich
dreimal verleugnen.« und Joh 13,38: »Wahrlich, wahrlich ich
sage dir: Der Hahn wird nicht krähen, bis du mich dreimal ha-
best verleugnet.« Vgl. 52,15 und 18 sowie 53,6.

60.20 **Einstein**: Albert Einstein (1879–1955), der bekannteste und
wichtigste Physiker des 20. Jh.s, Entdecker der Relativitätstheo-
rie. Einstein war Jude.

60.21 **Spinoza**: Benedikt (oder Baruch) de Spinoza (1632–1677), niederländischer Philosoph, leitete die Gesetze der Welt durch seine geometrische Methode aus dem Wesen Gottes ab, vor seinem Ausschluss 1656 gehörte er zur jüdischen Glaubensgemeinschaft.

Du sollst dir kein Bildnis machen: Das zweite jüdische und christliche Gebot; vgl. 2.Mose 20,4: »Du sollst Dir kein Bildnis noch irgendein Gleichnis machen, weder des, das oben im Himmel, noch des, das unten auf Erden, oder des, das im Wasser unter der Erde ist.« Das Motiv wird in der Bibel vielfach aufgenommen: 3.Mose 26,1; 5.Mose 27,15; Psalm 97,7; Jes 40,18–26; Röm 1,23. `62.3`

die Letzten werden die Ersten sein: Vgl. Matthäus 19,30: »Aber viele, die da sind die Ersten, werden die Letzten, und die Letzten werden die Ersten sein«; vgl. auch Lk 13,30. `63.31–32`

Ich sage: sie werden's nicht wagen: Wörtliches Zitat aus Georg Büchners Revolutionsdrama *Dantons Tod* (1835). `64.33`

Ich wäre der erste, der einen Stein wirft: Vgl. Joh 8,7: »Wer unter Euch ohne Sünde ist, der werfe den ersten Stein auf sie.« `65.29–30`

Ein Wirt kann nicht Nein sagen: Anspielung auf die zeitgenössischen und langanhaltenden Debatten um die Kompromissbereitschaft der Schweiz gegenüber dem faschistischen Deutschland. `65.32–33`

Unsere Waffe ist unsere Unschuld: Vgl. 2.Kor 6,7: »[I]n der Kraft Gottes, durch Waffen der Gerechtigkeit zur Rechten und zur Linken.« `66.18–19`

David und Goliath: Der kleine David erschlug den übermächtigen Philister Goliath mit einer Steinschleuder (vgl. 1.Sam 17). `69.4–5`

Warum hast du mich verraten: Judas wurde laut Bibel zum Verräter an Jesus, vgl. Matthäus 26,46–56; Mk 14,42–52; Lk 22,47–53, Joh 18,2–12. `69.10`

Schleuder: Vgl. 1.Sam 17,49: »Und David tat seine Hand in die Tasche und nahm einen Stein daraus und schleuderte und traf den Philister an seine Stirn, daß der Stein in seine Stirn fuhr und er zur Erde fiel auf sein Angesicht.« `69.23`

Stein, der mich tötet: Kurz darauf wird die Befürchtung Andris in veränderter Form Realität: Die Senora ist vom Stein erschlagen, Andri soll der Täter gewesen sein; vgl. 82,3; 83,4; 84,6; 84,23; 85,19; 85,21; 98,26; 99,6; 104,3. `81.4`

87.8 **Sündenbock**: Auf ihn werden die Sünden anderer abgewälzt – nach dem mit den Sünden des jüdischen Volkes beladenen Ziegenbock, der in die Wüste gejagt wurde, vgl. 3.Mose 16,21–22. Bereits im Mittelalter wurden die Juden als Sündenböcke mißbraucht.

87.29-30 **es schmeichelte ihnen [...] diese da drüben**: Vgl. Lk 18,11: »Der Pharisäer stand und betete bei sich selbst also: Ich danke dir Gott, daß ich nicht bin wie die anderen Leute, Räuber, Ungerechte, Ehebrecher oder auch dieser Zöllner.«

95.14 **Judenschau**: Sie ist eine Erfindung von Max Frisch, macht allerdings deutliche Anleihen bei den im Konzentrationslager üblichen Lagerappellen. Wie in *Andorra* die Füße als körperliches Merkmal des Jüdischseins herhalten müssen, war es bei den Nazis die Beschneidung.

98.12 **die schwarzen Tücher**: In dieser Praxis der Judenschau überschneiden sich das Verhüllen des Hauptes aus Trauer oder Gottesfurcht (vgl 2.Mose 3,6) und dem Bedecken bzw. Vertuschen eines offenbaren Tatbestands: »Tuch drüber!« (104,10)

99.11 **Das nenne ich Organisation**: Die perfekte, maschinenähnliche Organisation wurde an totalitären Regimes oft – auch bei sonstiger Ablehnung – bewundert.

115.6 **Wo hast du meinen Bruder hingebracht**: Vgl. 1.Mose 4,9: »Da sprach der Herr zu Kain: Wo ist dein Bruder Abel?«

Max Frisch
in der Suhrkamp BasisBibliothek

Andorra
Kommentar: Peter Michalzik
SBB 8. 166 Seiten

»Vielleicht bringt der multimediale Kontakt mit Frischs Stück manch einem, der Deutschstunden bislang als lästige Pflicht erlebte, einen neuen Zugang und damit Spaß an der Literatur.« *stern*

Homo faber
Kommentar: Walter Schmitz
SBB 3. 301 Seiten

»Zunächst einmal: Die Buchausgabe der Suhrkamp Basis-Bibliothek ist wunderschön. Offensichtlich inspiriert von elektronischen Hypertexten werden Wort- und Sacherläuterungen direkt am Textrand präsentiert. Inhaltliche Erläuterungen, Verweise und Kommentare finden sich im Anhang am Ende des Buches – die jeweiligen Passagen sind aber im Text markiert. Der breite Rand lädt zum Markieren und Kommentieren nur so ein, so daß das Buch eine optimale Ausgabe für den Einsatz in der Schule ist. Weitere Informationen gibt der ausführliche Kommentar von Walter Schmitz etwa zu den Erzählverfahren, der Entstehungs- und Textgeschichte oder der Rezeptionsgeschichte.« *Praxis Deutsch*

Don Winslow
Manhattan
Roman
st 4440. 440 Seiten
(978-3-518-46440-3)
Auch als eBook erhältlich

Weihnachten 1958 in New York: Die künftige First Lady und
ihr Mann halten Hof in der Stadt, beglücken die Presse und
beleben die Partylandschaft. Ein gutes Jahr vor der Präsident-
schaftswahl gilt der junge Senator Joe Keneally als heißester
Anwärter auf den Posten. Für die Sicherheit der beiden ist
Walter Withers verantwortlich. Doch der Ex-CIA-Mann blickt
tiefer hinter die Kulissen des Traumpaars, als ihm lieb ist. Als
eine Frauenleiche in seinem Hotelzimmer gefunden wird, bekommt Withers alle Hände voll zu tun, um seine Unschuld zu
beweisen – und findet sich bald im Zentrum einer Verschwö-
rung wieder.

Auf der Suche nach der Wahrheit – in
der Stadt, die niemals schläft

suhrkamp taschenbuch

Weitere Informationen erhalten Sie unter www.suhrkamp.de
oder in Ihrer Buchhandlung.

Anna Katharina Hahn
Kürzere Tage
Roman

st 4158. Broschur
(978-3-518-46158-7)
Auch als eBook erhältlich

Mustermütter und Karrierefrauen, Eurythmie und Hysterie, Alleinerziehende und Problemkinder, Wohlstand und Verwahrlosung.

Was geschieht, wenn man das Leben, das man immer haben wollte, endlich führt? Wenn die Kompromisse in Zwang umschlagen und das Glück sich nicht einstellt?

In ihrer literarisch bestechenden Bestandsaufnahme erzählt Anna Katharina Hahn von Frauen, deren Lebensraum zum Käfig geworden ist – und von einem Jungen, der ausbricht.

>>*Einer der besten deutschsprachigen Romane – unserer Zeit sowieso, aber auch überhaupt.*<< Franz Schuh, WDR

suhrkamp taschenbuch

Stephan Thome
Grenzgang
Roman
st 4193. Broschur. 453 Seiten
(978-3-518-46193-8)
Auch als eBook erhältlich

Alle sieben Jahre steht Bergenstadt kopf: Beim traditionellen
»Grenzgang« werden die Grenzen der Gemeinde bekräftigt –
und alle anderen in Frage gestellt. Auch für Kerstin und Thomas,
die in der kleinstädtischen Provinz hängengeblieben sind, nachdem sich ihre Lebensträume zerschlagen haben: Sie reibt sich
auf zwischen pubertierendem Sohn und demenzkranker Mutter,
er ist nur deshalb Lehrer, weil die Unikarriere eine Sackgasse war.
Aber beide geben sie ihre Suche nach dem Glück nicht auf.

> *»Wer Thomes Roman liest,*
> *kann sich vor allem eines Eindrucks nicht*
> *erwehren: Ein großer Meister seelischer*
> *Zwischentöne steht vor dir.«*
> *Tilman Krause, Die Welt*

suhrkamp taschenbuch

Weitere Informationen erhalten Sie unter www.suhrkamp.de
oder in Ihrer Buchhandlung.

Bertolt Brecht
Hundert Gedichte
Ausgewählt von Siegfried Unseld
st 2800. 188 Seiten
(978-3-518-39300-0)

»Alle meine Gedichte sind durch die Wirklichkeit angeregt und haben darin Grund und Boden. Von Gedichten aus der Luft gegriffen, halte ich nichts«, schreibt Goethe im September 1823 an Eckermann. Gelegenheit, so will man meinen, macht Poesie. – Brechts lyrisches Werk ist in der deutschen Literaturgeschichte allenfalls mit dem Goethes vergleichbar, und zwar sowohl quantitativ als auch qualitativ. Alle lyrischen Spielarten waren Brecht von Jugend an vertraut, zahlreiche seiner über zweitausendfünfhundert Gedichte von der *Hauspostille* bis zu den *Buckower Elegien* sind Meisterwerke von bleibendem Rang.
Siegfried Unselds Auswahl der hundert wichtigsten Gedichte ist subjektiv, ist die des Verlegers und Kenners des Brecht'schen Werks über viele Jahrzehnte hinweg.

suhrkamp taschenbuch

Weitere Informationen erhalten Sie unter www.suhrkamp.de
oder in Ihrer Buchhandlung.